LA NOVELA INDIANISTA EN HISPANOAMÉRICA

Depósito legal: P.-24.-1961. N.º Registro: 2519-61.

CONCHA MELÉNDEZ

LA NOVELA INDIANISTA EN HISPANOAMÉRICA

(1832 - 1889)

EDICIONES DE LA
UNIVERSIDAD DE PUERTO RICO
RIO PIEDRAS, 1961

Primera edición, 1934
Segunda edición, 1961

PRINTED IN SPAIN
Impreso y hecho en España

Industrias Gráficas «DIARIO - DIA», Mayor Pral., 99.—PALENCIA DE CASTILLA

PREFACIO

(A LA SEGUNDA EDICIÓN)

La Editorial Universitaria de la Universidad de Puerto Rico está reeditando las tesis de grado de algunos de los profesores que nos formamos estudiando y enseñando en el albor del despertamiento y expansión de las gestiones culturales que hoy alcanzan en esa institución, proyecciones y relieves admirables.

Al releer mi libro La novela indianista en Hispanoamérica, *he recordado las vastas lecturas, los viajes y por último mis estudios en la Universidad Nacional Autónoma de México, donde se terminó. Ejercicio para práctica de la investigación literaria en que me iniciara en la Universidad de Columbia, Nueva York, el Dr. Federico de Onís, resulta ser mi primera obra de crítica. aunque algunos de sus juicios han sido rectificados por mí en el crecimiento natural que dan la madurez y los estudios posteriores.*

Pienso que la preparación de la Novela indianista *aprovechó más a la autora que a sus lectores. Me enseñó paciencia, honradez y precisión en el manejo de libros y otros materiales necesarios; a estudiar paisajes y gentes en viajes a los diferentes países hispanoamericanos que visité para completar la indagación sobre el tema. Quizás el logro mejor en todo esto, fué la aclaración de los orígenes de las literaturas hispanoamericanas y su expresión durante los tiempos coloniales, la revolución por la independencia y el romanticismo.*

Al terminar con la primera novela indianista de reivindicación social Aves sin nido *(1889) de Clorinda Matto de Turner, creo haber completado el estudio de un aspecto de nuestra novela romántica de escaso valor artístico, pero de mucho interés para los que estudiamos las primeras creaciones de las literaturas de nuestros países.*

CONCHA MELÉNDEZ

PRÓLOGO

La erudición es mía en mí —no ha dicho aún, que yo sepa, erudito alguno—. De la poesía bien pudo declararlo así el príncipe Chorotega de Prosas profanas. *Es que el erudito se mueve entre asechanzas; siente el temor de ignorar alguna cosa que le será revelada con banderilla de triunfo por el erudito de su misma vecindad. El poeta, el artista, lo saben todo, y a su servicio tienen para comentar la verdad y la belleza que a fuerza de vuelo descubrieron entre las cordilleras del corazón humano una falange de sutiles cazadores: los eruditos universitarios.*

Quienes, como si desconfiasen de sus fuerzas, ingenian la aplicación de métodos entre cuyos garfios de esmeril se escapa la vida de la obra literaria, dejando un esqueleto de hechos de marfil en el cual quieren los eruditos que miremos la animada belleza de la verdad.

Y de tal estado de cosas y de ánimo recaen honor y responsabilidad en la erudita Alemania de mediados del siglo XIX, *que enseñó a las más de las Universidades del mundo a investigar. Pero la Alemania de hoy, rehabilitada, transforma su erudición y comienza a infiltrarle la hechizante poción que celtas y latinos no cesaron de diluir en la flúida erudición con que a la vez han enriquecido y exaltado la crítica literaria, así como la histórica.*

No ha sucedido igual cosa en las más de las Universidades norteamericanas, en donde la metodología alemana del siglo XIX *todavía prepondera, y en la cual se recluye, temerosa del fácil dilettantismo que sonríe, que ama el arte de la bella expresión, que lo mismo se baña en las playas de la luz que en las aguas un tanto estancadas de la ciencia. Pues para muchos profesores la erudición ha de salir al mundo con traje de severa austeridad y de bien pesada bayeta, como si la gracia, como si el donaire del estilo, como si el pensar alado fuesen peligrosa contaminación a su virtud.*

Y más de una Universidad de Hispanoamérica se ha contagiado de ese retardatario germanismo, que no tiene razón de ser allí donde la tradición de raza nos invita a mirar como cosa de rara excelencia el connubio de la sabiduría y del arte.

Bajo la presión de ese germanismo fué escapándose la sutil cosa literaria para dejar el campo a la historia de la literatura, la cual, así como la biografía en boga, confiere la preferencia a la materialidad de los hechos transitorios adheridos a la realidad objetiva mediante la documentación histórica.

Escabúllesele al erudito lo eterno humano, el palpitar del corazón apasionado, la visión de la imaginación vidente, porque se ha lanzado a la procura de lo transitorio histórico, del hecho perecedero, pero comprobable. Suele esa erudición desdeñar la poesía en el poeta y lo genial en el hombre de letras para ocuparse en las lejanas o próximas relaciones de un poema con otro poema, de una época con otra que le precedió. Y con el nombre de influencias se le arrebata la personal originalidad a un escritor. Lo universal humano, lo que el hombre de todas las edades ha experimentado en presencia de los espectáculos de la Naturaleza o de los intangibles acontecimientos del alma, parece no tener razón de ser ante esta escudriñante crítica que, reduciendo a su mínima expresión los temas, les busca y les halla en todos los siglos, en todas las literaturas sometidas al ritmo que se manifiesta en la vida y la civilización humanas.

La erudición de nuestra raza no ha podido olvidar que sólo aromada con el bálsamo del arte, exaltada con el prestigio del estilo, puede ella subsistir y desempeñar su función de derramar claror de sabiduría con el hechizo de la belleza.

Y la autora del libro que el lector tiene ahora entre sus manos ha debido mantener una lucha constante entre el genio de su raza y las demandas metódicas que las Universidades a que me he venido refiriendo imponen a quienes pasan por sus disciplinas. La Dra. Meléndez no menciona esta fatiga como la más agobiadora. En su ánimo pesaban más aún las dificultades de allegar materiales dispersos a lo largo del Continente, de suerte que el otro con-

flicto podía disimularse. Quizá confiaba —y con razón— en su talento artístico para vestir con la soltura de la gracia de su prosa los múltiples elementos que una erudición cuidadosa sometía a su examen. Y la Dra. Meléndez ha bienlogrado su paciente, su valeroso esfuerzo.

Cuando se izan velas para engolfarse en la pesca de influencias literarias, suele olvidarse que hay traidoras sirtes a cada paso: el prescindir de lo sustancial humano, que es lo que explica la posibilidad misma de las influencias; el eludir la función del talento del escritor en la asimilación y transformación de la influencia. Porque la tendencia dominante en tales estudios de erudición es la de descubrir todas aquellas atingencias entre el influído y los influyentes, hecho lo cual puédese ya descartar la sensibilidad, la imaginación, el genio del hombre que se estudia.

La Dra. Meléndez ha tenido el tacto de rehuir las sirtes. Allí estaban los cronistas españoles y los poetas de la epopeya colonial que describían el carácter de los indígenas, su vida y sus costumbres, cuanto los españoles alcanzaron a conocer de la civilización del Nuevo Mundo, y, por otra parte, los inspiradores del romanticismo europeo. El erudito siéntese tentado a tratar de descubrir estos dos diversos elementos en cada novela indianista. Una vez hecho esto el triunfo es suyo. Por fortuna, la Dra. Meléndez, alzándose por encima de la tentación, ha procurado poner de relieve los talentos y méritos de los más importantes novelistas indianistas que ella estudia.

La introducción de su libro se consagra a la dilucidación de esos orígenes indianistas en la poesía, y el talento literario de la escritora hace atrayente la investigación, la que como tal satisface las exigencias de escuela.

Y desde el punto de vista artístico ése es precisamente el mérito más saliente de todo este cuidadoso trabajo; la Dra. Meléndez ha puesto delicado discernimiento al apreciar la aportación que cada escritor ha traído al tema de la novela indianista. Es esto lo que ha hecho de su tesis, más que una obra de erudición —que sí lo es—, una obra de crítica que se insinúa en la estimación del lector. Más allá y por encima de la influencia, la Dra. Meléndez ha discernido la palpitación de simpatía, de admiración o de amor del hispanoamericano por estas razas, gotas de cuya sangre quizá también bullen en el corazón del escritor. La tesis de la Dra. Meléndez es obra excelente, en que aparejados van erudición y entendimiento, que es consorcio de corazón y de talento en sereno equilibrio aquí, gracias a la armonía de las bellas capacidades que posee la ya distinguida autora.

Su obra encontrará calurosa acogida entre todas las gentes de letras que amen cosas de arte y cosas de América.

R. BRENES-MESÉN.

Northwestern University.

INTRODUCCIÓN

(A LA PRIMERA EDICIÓN)

QUIENES han intentado seriamente la investigación en la literatura hispanoamericana, saben los obstáculos, a veces casi insuperables, que hacen de la obra del investigador un laborioso milagro de paciencia. El aislamiento en que viven unos de otros nuestros pueblos, la dificultad de examinar directamente los documentos necesarios, que sólo se vence con viajes costosos, y la imprecisión que caracteriza a gran parte de la crítica hecha por hispanoamericanos y, en consecuencia, a la de los extranjeros que en general basan la suya en aquéllos; todo contribuye al desaliento de los estudiosos, que buscan esferas más accesibles y de más brillante perspectiva en que ejercitar sus esfuerzos.

No obstante, Hispanoamérica ofrece, especialmente en su romanticismo, fascinantes problemas de literatura comparada, puntos de partida inexcusables en el estudio de corrientes posteriores y venideras. Mas el romanticismo, fenómeno complejo en su manifestación europea, se vuelve laberíntico entre nosotros, de modo que no son muchos los que se arriesgan a explorar en sus "bosques de espesura".

Hemos aislado en nuestro estudio un aspecto de la literatura romántica en la América española: las novelas indianistas. Incluímos en esta denominación todas las novelas en que los indios y sus tradiciones están presentados con simpatía. Esta simpatía tiene gradaciones que van desde una mera emoción exotista hasta un exaltado sentimiento de reivindicación social, pasando por matices religiosos, patrióticos o sólo pintorescos y sentimentales.

La atracción exótica, unida, claro está, a las razones de la moda literaria del momento, fué el móvil capital de la Avellaneda, en su libro *Guatimozín*. El mismo asunto, no tan exótico ya para el mexicano Eligio Ancona, aparece en su novela *Los mártires del Anáhuac* saturado de antiespañolismo, y en las novelas de Ireneo Paz, sobrecargado de lo sentimental intrascendente. Lo indígena en Juan León Mera y José R. Yepes es, ante todo, pintoresco, espectacular.

Todos ellos, empero, simpatizan con el indio, que describen embellecido o estilizado, en contraste con aquella literatura antiindianista —los poemas argentinos *Santos Vega,* de Ascasubi, y *Martín Fierro,* de Hernández, por ejemplo— de indios holgazanes, crueles y abyectos.

Cuando se inicia el romanticismo hispanoamericano, uno de sus aspectos es la evocación de las tradiciones indias. Las victorias revolucionarias traen consigo una desviación temporal de las tradiciones españolas. Una de las fórmulas más definidas en el programa romántico del argentino Esteban Echeverría era romper con las normas clásicas españolas de la literatura colonial. Los escritores entonces, según ha puntualizado Rodó, "volvieron los ojos al manantial poético de la inocencia y los dolores de los pueblos indígenas, y este orden de motivos concordaba con la pasión de autonomía que era el carácter de aquel tiempo"[1].

La novela indianista, pues, como toda la literatura romántica de tema indígena, tuvo como esencial estímulo la pasión nacionalista dominante en el romanticismo europeo, más intensa entre nosotros, donde pueblos recién emancipados buscaban expresarse por las vías que les trazó la nueva escuela.

Nos proponemos estudiar el indianismo desde sus orígenes hasta que se incorpora en la novela romántica; subrayar los matices que subsisten en ella de las épocas anteriores, y ver qué elementos aporta a la novelística posterior.

Las novelas que estudiamos están limitadas por las fechas 1832 a 1889. Ellas evidencian el hecho, ya observado en otras ocasiones, de la excesiva prolongación del romanticismo en la América española. El año 1889 no es un límite absoluto. Se escribieron

1. José E. Rodó, *El mirador de Próspero,* Madrid, Renacimiento, 1920, II, 202.

después novelas indianistas de tipo romántico, se escribían aún, cuando el uruguayo Carlos Reyles había ya asimilado, atenuándolos, los procedimientos naturalistas en sus novelas *La raza de Caín* (1910) y *El terruño* (1916). Pero de aquellas obras, de un romanticismo al fin arcaico, ninguna supera a *Enriquillo* o *Cumandá*, las mejores novelas del grupo que estudiamos.

Involuntariamente excluímos a Centroamérica en nuestro panorama, por habernos sido imposible conseguir los documentos necesarios. Acaso visitando las bibliotecas nacionales centroamericanas hubiéramos podido sumar algunos títulos a nuestra bibliografía. Tampoco estudiamos las obras del colombiano Felipe Pérez (1836-1891), *Atahualpa* y *Los Pizarros*, "narraciones del género novelesco", según el crítico Gómez Restrepo [1]. No logramos ver ejemplares de ellas a pesar de las gestiones que al respecto hizo el erudito académico D. Eduardo Posada. Inconveniente deplorable si consideramos que las narraciones de Felipe Pérez seguramente aportarían valiosos detalles sobre la tradición incaica en la novela.

Estas omisiones, sin embargo, no creemos que alterarían en mucho las conclusiones derivadas de la presente investigación. Las novelas que estudiamos en cuanto a orígenes, influencias literarias y tendencia americanista, forman un conjunto bastante definido dentro de la literatura romántica hispanoamericana.

Deseamos mencionar con agradecido afecto los nombres del Dr. Federico de Onís, director del Departamento de Estudios Hispánicos en la Universidad de Columbia, Nueva York, quien dirigió los comienzos de este trabajo; de D. Julio Jiménez Rueda y D. Francisco Monterde, catedráticos de literatura mexicana y de Hispanoamérica, respectivamente, quienes en la Universidad Nacional de México hicieron posible su terminación con valiosas indicaciones; del Dr. Federico Henríquez y Carvajal, Rector de la Universidad de Santo Domingo, quien guió nuestras investigaciones en aquella Isla, y del Dr. F. de Paula Coronado, quien generosamente hizo lo propio en la Biblioteca Nacional de La Habana.

---

1. ANTONIO GÓMEZ RESTREPO *La literatura colombiana*, en «Revue Hispanique», New York-Paris, 1918, XLIII, 79-204.

Por último, el capítulo sobre Argentina hubiera quedado inconcluso sin la cooperación del librero D. Jesús Menéndez, quien reunió material necesario e hizo copiar de la Biblioteca Nacional de Buenos Aires la novela de Rosa Guerra que inicia el grupo inspirado en la leyenda de Lucía Miranda.

La ortografía de los nombres indígenas varía en los diferentes autores. Hemos conservado la forma usada por cada uno. Así un cacique timbú se llama *Mangoré,* en Ruy Díaz; *Mangorá,* en la novela de Rosa Guerra, y *Marangorá,* en la de Eduarda Mansilla.

ORÍGENES DE
LA NOVELA INDIANISTA

CAPÍTULO I

LITERATURA DE LA CONQUISTA Y LA COLONIA

Casi todos los factores que habían de constituir en su momento a la novela indianista están ya en la literatura de los conquistadores y en la colonial; idealización romántica del indio y queja social a su favor en Las Casas y Garcilaso el Inca; el indio guerrero y la heroína apasionada en Ercilla; el misionero y el conquistador en las obras de los cronistas; lo pintoresco de las costumbres, mitos y supersticiones en esas mismas crónicas.

SIGLO XVI

1. — Fray Bartolomé de las Casas

En el siglo XVI hay dos interpretaciones estéticamente valiosas del indio: la de Las Casas y la de Ercilla. Fray Bartolomé de las Casas (1474-1566) es el predecesor de Rousseau al mirar al hombre primitivo como encarnación del bien y la inocencia. Su concepción del indio fué motivo poético durante el romanticismo; en la última década del siglo pasado estaba aún viva en José Martí, quien se refiere a los indios glosando a Las Casas:

> Tenían el pensamiento azul como el cielo y claro como el arroyo; pero no sabían matar forrados de hierro, con el arcabuz forrado de pólvora. Con huesos de fruta y con gajos de mamey no se puede atravesar una coraza. Caían como las

plumas y las hojas, morían de pena, de furia, de fatiga, de hambre [1].

La actitud persiste en la época contemporánea. Es la actitud de Gabriela Mistral cuando escribe comentando los cuentos de Ventura García Calderón, *La venganza del cóndor:*

> *El pecado de la raza* ¿no es acaso la página americana donde en un relámpago de gracia un escritor ha dicho la verdad, que por absoluta llamaríamos sobrenatural, del indio? Porque el indio americano que Las Casas llamó la raza más dulce del mundo, es de modo especial el quechua-aimará. Esa dulzura se ha hecho, por la maldad del blanco, tristeza indecible, dación de sí mismo no vista jamás, renunciación a todo, a la tierra suya, al cuerpo suyo, al alma suya... Si las criaturas malditas por excelencia de esta tierra son las que mataron a Cristo, ¿por qué no habían de ser ellos los matadores de Cristo? [2].

El indio es motivo lírico en las obras de Las Casas, *Brevísima relación de la destrucción de las Indias* (Sevilla, 1552) y la *Historia de las Indias,* que comenzó en 1552 y terminó en 1561. Esta *Historia,* inédita durante tres siglos, se imprimió en 1875-1876, precisamente coincidiendo con el período de culminación de la novela indianista. En la *Historia de las Indias* se documenta principalmente Manuel de Jesús Galván cuando escribe *Enriquillo;* Las Casas mismo es un personaje importante en esta novela, después de haber aparecido antes en *Les Incas,* de Marmontel.

Los indios de Las Casas son "gentes mansuetísimas, humilísimas, inermes y sin armas, simplísimas, y sobre todas los que de hombres nacieron sufridas y pacientes" [3]. Sigue después la acusación de falta de escrúpulo y temor con que los españoles, olvidando el derecho natural, divino y humano, despojaron a la raza vencida. El capítulo XL, al describir el desembarque de Colón, elogia al indio lucayo, añadiendo a las cualidades enumeradas en el

---

1. JOSÉ MARTÍ, *El Padre Las Casas. Páginas escogidas,* París, Garnier, s. a., pág. 254.

2. GABRIELA MISTRAL, *Un maestro americano del cuento,* Repertorio Americano, San José de Costa Rica, 1927, XIV, núms. 9, 137-138.

3. FRAY BARTOLOMÉ DE LAS CASAS, Prólogo a la *Historia de las Indias,* Madrid, M. Aguilar, 1927, I, 16.

prólogo, inteligencia, virtud y "prontísima diligencia para recibir la santa fe". Es el hombre natural, que pareció a Las Casas restituído al estado de feliz ignorancia que luego evocaría Rousseau.

La figura de Las Casas se embellece hasta la poesía al narrarnos la historia de su defensa de los indígenas, que suscita la polémica entre el egoísmo y el más puro espíritu cristiano, la lucha entre el fraile y Sepúlveda.

Su biografía, incluida por Quintana en sus *Vidas de españoles célebres* [1], contribuyó a intensificar la interpretación del indio que los enciclopedistas franceses habían exaltado.

2. — Alonso de Ercilla y Zúñiga

La Araucana, de Alonso de Ercilla y Zúñiga (1533-1594), es en la época de la conquista, la fuente literaria en verso más importante de la posterior literatura de tema indígena. La primera parte (Madrid, 1569) es una apología de la resistencia física y el valor guerrero de los araucanos, quienes hasta el canto 14 aparecen victoriosos.

El canto tercero insinúa varios de los elementos estéticos que pasarían a la novela: el guerrero soberbio e indómito, la descripción de asambleas, mitología y prácticas de los agoreros.

Las mujeres de *La Araucana* son la aportación nueva de Ercilla. Tipos idealizados y convencionales, apasionadas y constantes en el amor, Guacolda, Tegualda, Lauca y Fresia serán, a la vez, antecedente y modelo de la familia de heroínas que en la América hispana tiene bello remate en *Cumandá.*

El canto tercero suma el motivo de queja social. Acusa Ercilla a Valdivia de codicioso:

> Codicia fué ocasión de tanta guerra
> y perdición total de aquesta tierra.
> Ésta fué quien halló los apartados
> indios de las antárticas regiones;

1. Publicadas por primera vez en su forma completa, en Madrid, 1834. 3 vols.

por ésta eran, sin orden, trabajados
con dura imposición y vejaciones [1].

En el canto noveno encontramos la descripción de una tormenta. No es todavía una tormenta del todo americana; pero la descripción, aunque breve, establece otro motivo convencional en las novelas indianistas. La tormenta será indispensable para intensificar el dramatismo o aislar las parejas de enamorados. La de Ercilla, con sus nubes cerrándose sobre nubes, turbulento rumor, relámpagos, lluvia recia, remolinos furiosos, es, sin duda, germen de las terribles tempestades descritas en *Atala,* en *Anaida,* de José R. Yepes; en general, en todas las novelas indianistas.

Hasta el colorido pintoresco de lo indígena asoma en Ercilla Cuando en el canto noveno describe el ejército araucano, limpias las armas, las "celadas" cubiertas de plumas verdes, azules, blancas y encarnadas, está aprovechando uno de los resortes que el novelista usaría con más frecuencia para satisfacer el ansia de exotismo que hace nostálgicos a los espíritus soñadores.

Falta desde luego, no la visión directa, pero ni siquiera idealizada, del paisaje. La observación de Humboldt acerca de Ercilla puede aplicarse, con alguna rarísima excepción —la de Ovalle ante los Andes chilenos, por ejemplo—, a toda la literatura colonial [2]. El trasplante de paisajes arcádicos y mitología clásica al medio americano es bien conocido de todos los lectores de literatura colonial. Los autores, de sensibilidad renacentista, llevaban los recuerdos de su cultura clásica interceptados entre lo físico objetivo y la mirada. En Ercilla, hasta las ninfas que revolviendo las aguas se asoman a ver la valentía de Rengo, tienen las cabezas doradas.

La trascendencia de *La Araucana* fué inmediata. En el mismo siglo XVI, Diego de Santisteban Osorio publicó una cuarta y una quinta partes "en que se prosigue y acaba la historia de D. Alonso de Ercilla" (Salamanca, Juan y Andrés Renaut, 1597).

Pero mucho más valiosos como divulgadores de la tradición ercillana son los romances basados en episodios del poema inclui-

---

1. *La Araucana,* en «Bibl. de Aut. Esp.», XVII, 12.

2. «Los volcanes cubiertos de eterna nieve, los valles abrasadores a pesar de las sombras de los bosques, los brazos de mar que avanzan tanto en la tierra, apenas le inspiran nada que forme imagen.» *Cosmos,* trad. de Galusky, Paris, 1855, II, 68.

dos en un *Cancionero de Lisboa* [1], apenas dos años después de la aparición de la tercera parte. El polígrafo chileno José Toribio Medina [2] comenta estos romances subrayando la fidelidad con que se ciñen al texto de Ercilla.

De los nueve de que consta la serie, solamente dos son de asunto ajeno a la conquista. Los demás cuentan la lucha entre Tucapel y Rengo, el asalto de Caupolicán a Reinoso en Cañete; el episodio de Lauca, la prisión de Caupolicán y la elección del general indio después de la muerte de aquél. Los romances siguen el orden de los sucesos de la tercera parte del poema, con excepción del noveno, que llena el vacío de la elección del cacique, inconclusa en el poema.

En el mismo trabajo, Medina estudia los seis romances que, basados en *La Araucana,* se publicaron en el *Romancero,* impreso en Madrid en 1604. Cinco de estos romances versan sobre el episodio de Guacolda y Lautaro del canto XIII y evidencian cómo esta pareja de amantes atrajo la fantasía popular del mismo modo que estuvo presente en la memoria de los novelistas.

Este aspecto novelesco es la única atracción poética del *Arauco domado,* de Pedro de Oña, impreso por primera vez en Lima en 1596. Reaparecen los amores de Caupolicán y Fresia, de Tucapel y Gualeva. Con Oña, que era chileno, empieza la contribución literaria indianista de los hispanoamericanos.

3. — Juan de Castellanos

La actitud antirromántica ante el indio y apologética de los conquistadores la representa Juan de Castellanos (1522-1606). En este sentido, sus *Elegías de varones ilustres de Indias* [3] son el contraste más violento que encontramos de la concepción de Las Casas. Sus indios, fuertes y valientes a ratos, están vistos sin emoción. Aquellos mismos indios lucayos que Las Casas idealizó, son descritos por Castellanos de manera prosaica:

1. *Ramillete de flores,* Lisboa, Pedro Flores, 1593.
2. José Toribio Medina, *Los romances basados en «La Araucana»,* Santiago de Chile, Imp. Elzeviriana, 1918.
3. La primera parte impresa en Madrid, en 1589; la segunda y tercera, en «Bibl. de Aut. Esp.», IV.

No debe remordelles la conciencia
ni quieren evitar inconvenientes,
pues tan sin empachosa reverencia
incitan empachosos accidentes,
pues no son en estado de inocencia
que hijos son de Adán y descendientes [1].

La tradición indígena de Santo Domingo no tiene mejor suerte en sus manos. En cambio, el heroísmo de los conquistadores entusiasma tanto al cronista, que hasta en la lucha que describe entre el indio Tíguer y el español Diego Rodríguez, es Rodríguez quien vence [2]. No es extraño, pues, que, frente a la segunda parte, los elogios "por varios ingenios" resulten hiperbólicos en cuanto al valor literario de las *Elegías*.

En las referencias estilísticas acierta Gabriel Minaya, cuando, en un soneto que precede a la tercera parte, elogia "la vena casta del casto y llano Castellanos". Su llaneza le hace olvidar a veces la cultura clásica para describir el caimán, las sierras y los lagos de América sin preocuparse de los neologismos americanos, y aunque no alcanza jamás eficacia poética, es un precedente que sin duda desconocieron los cultivadores del posterior americanismo [3].

Castellanos, pues, si vió a los indios de manera antirromántica, contribuyó a la formación del tipo literario del conquistador valiente, que también se incorporó a las novelas históricas indianistas.

SIGLO XVII

En el siglo XVII encontramos una intensificación en el cultivo de los temas indios con miras más literarias que históricas. Aparece, además, la poesía meramente descriptiva y la aportación de los prosistas mestizos.

---

1. *Elegías de varones ilustres de Indias,* Madrid, Hernando, 1914, IV, elegía I, canto 4.

2. CASTELLANOS, *Elegías,* edic. cit., segunda parte, págs. 345-346.

3. Los españoles acechan al enemigo «entre verdes maíces y frísoles», el cacique Enriquillo conferencia con Barrionuevo, «bajo un umbroso árbol de mamey». Edic. cit., primera parte, pág. 50.

LA NOVELA INDIANISTA EN HISPANOAMÉRICA

1. — Bernardo de Balbuena

El primer intento de literatura descriptiva es el de Bernardo de Balbuena (1568-1627), quien en su *Grandeza mexicana* (México, Melchior Ocharte, 1604), inicia la tradición de poemas eglógicos a la manera clásica que en América culmina en Andrés Bello.

El procedimiento enumerativo que domina en el poema, la obsesión clásica, alejan al poeta de las transcripciones de lo americano, aun cuando asome alguna vez por los resquicios de una estrofa. Si nombra "el sangriento moral", añade en seguida: "triste acogida de conciertos de amor", y su imaginación huye de América, en busca de la pareja de amantes Píramo y Tisbe [1].

No da la impresión Balbuena de poeta "genuinamente americano" ni logra hacer sentir "la desatada fecundidad de aquella prodigiosa naturaleza", según opinión de Menéndez Pelayo [2]. Detalles aislados como aquel en que se refiere a la ciudad de México: "bañada de un templado y fresco viento", es cuanto hallamos sobre la naturaleza americana, inédita aún.

2. — Continuidad de la tradición ercillana

El influjo directo o indirecto de Ercilla domina aún en los poemas épicos y crónicas rimadas durante este siglo. Es discernible en el poema *Argentina y conquista del Río de Plata con otros acaecimientos de los Reynos del Perú, Tucumán y Estados del Brasil* (Lisboa, 1602), por el fraile arcediano Martín del Barco Centenera [3].

El episodio de Yanduballo y Liropeya del canto XII recuerda, en su apasionamiento, el de Guacolda y Lautaro. Es uno de los pocos pasajes que utilizaron los poetas del romanticismo: el uruguayo Adolfo Berro, el argentino Juan María Gutiérrez.

Centenera aporta además a la literatura el tipo de los indios platenses, crueles y sanguinarios:

---

1. *Grandeza mexicana,* Madrid, Imp. de Miguel de Burgos, 1829, pág. 50.
2. *Historia de la poesía hispanoamericana,* edic. cit., II, 54-62.
3. La editorial Ángel Estrada y C.ª publicó en Buenos Aires, 1912, una edición facsímil de la primera hecha en Lisboa por Pedro Crasbeeck, 1602.

Los guaraníes sus dientes azerados
alegres con tal nueva aparejaron,
pensando de hinchir sus dientes fieros
de la sangre de aquellos caualleros [1].
De allí hazen hazañas espantosas.
asaltos, hurtos, robos y rapiñas,
usan embustes, fraudes y marañas,
también tienen esfuerzo y osadía [2].

Esta visión del indio platense, que los autores ochocentistas, como Echeverría, romantizaron personificando en ella dinámicas fuerzas destructoras, es el indio del rapto y el *malón* y completa la serie de tipos que después han de ser personajes novelescos.

El canto XV "trata de las crueles y terribles muertes que los indios daban a los cristianos captiuos". Son los mismos indios descritos por Hernández en *Martín Fierro* dos siglos después. En este canto, Centenera describe la muerte del cautivo Chavarría [3], a quien los indios amarran de un árbol y luego "flechas dan en él como granizo"; y así, con el cuerpo erizado de saetas, cantaba el *Miserere Mei* hasta morir. La muerte de Chavarría es la misma de Sebastián Hurtado en algunas versiones de la leyenda de Lucía Miranda.

La influencia de Ercilla se manifiesta de manera más concreta en tres autores del siglo XVII. En Lima, en 1630, reaparece la tradición ercillana en el *Compendio historial* de Xufré de Águila (1568-1637).

No hemos visto esta obra; pero según la descripción que de ella hace Menéndez Pelayo [4], tiene mucho menos valor literario que el alcanzado por Juan de Mendoza y Monteagudo en el poema *Las guerras de Chile,* que editó José Toribio Medina [5]. Esta edición se basa en la copia sacada por Barros Arana del manuscrito existente en la Biblioteca Nacional de Madrid. Molina calcula la composición del poema hacia el año 1660.

El canto primero da nuevos detalles sobre las costumbres y supersticiones de los araucanos. La tradicional asamblea se descri-

1. Edic. Ángel Estrada, pág. 6.
2. *Ibid.*, pág. 7.
3. *Argentina,* edic. cit., pág. 115.
4. *Historia de la poesía hispanoamericana,* edic. cit., págs. 41-42.
5. *Las guerras de Chile, Poema histórico por el sargento mayor don Juan de Mendoza y Monteagudo,* Santiago de Chile, Imp. Ercilla, 1888.

be en el canto segundo, comenzando por la enumeración de los caciques descendientes de los héroes de Ercilla, el más interesante, Longovil —cabeza de serpiente—, nombre ganado a los trece años por haber vencido una terrible serpiente. Describe Mendoza la lucha con la usual reminiscencia clásica:

> Mil círculos haciendo en un momento
> el gran revuelto cable le ceñia,
> en su vigor y lazos tan sin cuento
> que el joven Caduceo parecía:
> gime de puro estrecho y sin aliento,
> que mortales angustias padecía.
> Soltóla al fin el invito mancebo,
> y en el arena el cuerpo así estampado,
> se la dejó a los pájaros por cebo [1].

En el canto noveno, el novelesco episodio de Guaiquimilla [2] viene a sumarse a la ya larga lista de historias de amor. Originalísimo es éste, sin embargo, pues la bella esposa del cacique Anganamón, quien es prisionero de los españoles, consigue libertar a su amado, disfrazándolo con sus "trenzas, topos y faldillas". Queda la india, en lugar del preso, arriesgando la vida; pero por su acto heroico es puesta en libertad, y el cacique instituye, en conmemoración del suceso, la fiesta anual de la primavera.

Cierra, en fin, llevando a total decadencia el ciclo de poemas ercillanos, el capitán Hernando Álvarez de Toledo, quien compuso una *Araucana,* que se ha perdido, y un poema, *Burén indómito* [3]. No se sabe la fecha exacta de la composición de este poema, de valor literario casi nulo a juzgar por los fragmentos comentados por Medina y Menéndez Pelayo en las obras ya citadas. Medina cita una estrofa del canto XXIII en la *Introducción biográfica* al poema de Mendoza, por la cual conjeturamos que éste fué predecesor de Álvarez de Toledo.

---

1. *Las guerras de Chile,* edic. cit., págs. 41-42.
2. Ibíd., págs. 175-181.
3. Existe manuscrito en la Biblioteca Nacional de Madrid, impreso en París, «Biblioteca Americana», A. Franck, 1862, I.

3. — Los prosadores nativos

La literatura en prosa de los españoles en América empieza con las Cartas de Colón. Hasta 1580, período de la actividad descubridora, se escriben los relatos de las guerras, la descripción de los países: sus productos, su naturaleza, sus indios. Estos relatos, generalmente fieles, no tenían la finalidad de impresionar a nadie. Sin embargo, comienzan la transformación de la Historia. Versan sobre cosas que se han visto la primera vez. Y en los lectores europeos de entonces, como en nosotros hoy, ejercen hechizo novelesco. Predomina la naturalidad en la narración de hechos heroicos, vistos o vividos en una época en que la heroicidad se vuelve costumbre.

Tras la conquista viene la organización. Sabios y letrados componen libros sobre América. La mayor parte de ellos son libros muy bien escritos. Algunos autores, como De Acosta, como Las Casas, tenían cultura clásica. Otros, escritos por personas menos cultas, tienen, no obstante, un estilo propio inconfundible. En ellos se refleja, como observó el Dr. Federico de Onís [1], el fenómeno de aumento en la magnitud de las acciones y los espíritus, que contagia a las gentes de la conquista.

Por eso es difícil clasificar cierto tipo de obras que en realidad son historias novelescas. Porque ¿quién que haya leído *La verdadera historia de la conquista de Nueva España* [2], de Bernal Díaz del Castillo, que tuvo por fuentes sus propios ojos, puede escapar de la atracción de su estilo personalísimo, de su noble jactancia de soldado que reclama su gloria? Y ¿quién que lea *La historia de la conquista de México* (1684), de Antonio de Solís, libro de finalidad exclusivamente literaria, no le parece también novelesca la descripción del Imperio de los Moctezumas y su conquista?

Los límites de este capítulo no pueden extenderse al comentario, aunque sea breve, de gran número de esos libros. Algunos de ellos, que han sido fuente de novelas históricas estudiadas en este trabajo, serán señalados oportunamente. Aquí sólo vamos a detenernos en un grupo de prosadores nativos que desde comienzos del

1. Conferencias sobre el Renacimiento español dictadas en la Universidad de Puerto Rico, enero a marzo de 1928.
2. Compuesta hacia 1586, publicada en Madrid, Imp. Real, 1632.

siglo se suceden, adquiriendo gradualmente sus obras un tono que casi realiza la novela.

Pedro Henríquez Ureña, en sus *Apuntaciones sobre la novela en América* [1], clasifica como historia novelesca *Los comentarios reales* (1609-1616), del Inca Garcilaso de la Vega; *Cautiverio feliz,* de Francisco Núñez de Pineda, y *Restauración de la Imperial y Conversión de almas infieles,* por Fr. Juan de Barrenechea y Albis, publicada en 1693.

a) *Garcilaso de la Vega (El Inca)*

Max Leopold Wagner, en su resumen de literatura hispanoamericana [2], menciona los nombres de Fernando Alva Ixtlilxochitl y Garcilaso de la Vega, ambos mestizos, descendientes de sangre real indígena, como los primeros exponentes de la cultura renacentista trasplantada a América. A esos dos nombres pudo añadir el de Lucas Fernández Piedrahita, biznieto de D.ª Francisca Goya, princesa del Perú y autor de una *Historia general del nuevo reino de Granada,* impresa en Amberes por Verdussen en 1688.

De los tres, Garcilaso de la Vega (1540-1616) realizó la obra de más valor estético. Es la figura literaria más importante de su época en Hispanoamérica, no habiendo sido superada aún la dignidad y belleza de su prosa.

La primera parte de los *Comentarios,* impresa en Lisboa (1608-1609), es la de más significación para nuestro estudio. Inicia en ella Garcilaso el americanismo literario, ya que sus páginas revelan un gran amor por la vencida raza incaica, cuyas glorias extintas describe con un suave tono de elegía. Esto es ya el sentimiento de nostalgia por los pueblos indios desaparecidos, fuente del lirismo de las obras románticas que tuvieron expresión última en el poema *Tabaré,* de Zorrilla de San Martín.

Desea Garcilaso, según dice en la introducción de su obra, rescatar del olvido los antiguos monumentos y costumbres del Perú. Haciendo un contraste entre las pasadas glorias incaicas y el

1. PEDRO HENRÍQUEZ UREÑA, *Apuntaciones sobre la novela en América,* Buenos Aires, Coni, 1927.
2. *Die spanisch-amerikanische literatur,* Leipzig-Berlin, Teubner, 1924, pág. 3.

estado en que estaban entonces sus compatriotas, espera el autor ayudar al mejoramiento de la suerte de aquéllos.

Comienza disertando sobre si hay muchos mundos, si hay antípodas, sobre la deducción del nombre del Perú, y luego nos narra la historia de los soberanos incas, describiendo al mismo tiempo los pájaros, las plantas y las flores del Perú, en una prosa exquisitamente renacentista.

La sensibilidad de Garcilaso, en la segunda parte de su obra, reviste de eficacia estética las luchas entre los indios y los conquistadores, y en él se realiza ya lo pintoresco en sentido romántico. Indudablemente embelleció la civilización incaica, tuvo que embellecerla, siendo como era un gran poeta que escribió en prosa asomado al recuerdo.

Dice haber recibido la relación del origen de sus reyes de un inca, tío de su madre, a quien atribuye estas románticas palabras:

> Creo que te he dado larga cuenta de lo que me pediste, y respondido a tus preguntas, y por no hacerte llorar, no he recitado esta historia con lágrimas de sangre derramadas por los ojos, como las derramo en el corazón, del dolor que siento de ver nuestros Incas acabados y nuestro imperio perdido [1].

Y aunque al dedicar su traducción de los *Diálogos de amor* de León Hebreo al rey Felipe II dice tener en más ser un vasallo "que lo que entonces fuymos dominando a otros; porque aquella libertad y señorío era sin la luz de la doctrina euangélica" [2], en la primera parte de los *Comentarios* se siente señor vencido que dolorosamente evoca el gran pasado de su raza.

El tono elegiaco es sostenido en este aspecto. Así al narrarnos la muerte de Manco Inca, víctima de la cólera de Gómez Pérez, quien lo mata de un golpe de bola, mientras ambos jugaban:

> Así acabó el pobre príncipe Manco Inca a manos de los que él guareció de la muerte y regaló todo lo que pudo mientras vivió; que no le valió su destierro voluntario ni las bravas mon-

1. *Historia general del Perú* o *Comentarios reales,* Madrid, 1800-1801, I, 115.
2. *La traduzión del indio de los tres Diálogos de amor,* Madrid, Pedro de Madrigal, M. D. X. C., incluída en *Orígenes de la Novela,* de Menéndez Pelayo, Bailly-Baillière, Madrid, 1915, II, 280.

> tañas que eligió para su refugio y defensa, que allí lo fueron a hallar las manos y la furia de un loco sin juicio, sin consejo ni prudencia [1].

El Consejo de Indias, a fines del siglo XVIII, confirma el libro de Garcilaso como raíz de americanidad, mandando a recogerlo "porque en él aprendían los naturales muchas cosas inconvenientes" [2].

b) *Aproximaciones a la realización novelesca*

1. FRANCISCO NÚÑEZ DE PINEDA. — Alcanza la más lograda aproximación a la forma novelesca Francisco Núñez de Pineda (1607-1682) al describir siete meses de cautiverio entre los indios de Chile, episodio que ocurrió en 1629. La obra fué publicada por Barros Arana [3] y es reproducción de un códice que existe en la Biblioteca Nacional de aquel país, fechado en 1673.

La narración está dividida en cinco discursos o partes. Eliminadas las numerosas digresiones bíblicas, clásicas e históricas, las memorias de Núñez de Pineda se convertirían en una amable narración autobiográfica, donde en numerosos cuadros realistas se describen las costumbres y el carácter de los indios con simpatía. Los caciques protectores del cautivo, y muy especialmente Maulicán, son hospitalarios y hasta caballerosos. Muchos indios —la gente joven sobre todo— se convierten fácilmente al Cristianismo después de oír las lecciones del Capitán, quien no encubre el propósito de su obra cuando en la introducción al discurso quinto dice:

> Se da fin a mi cautiverio feliz, por los agasajos que hallé entre estos naturales bárbaros, y a las dilatadas guerras de Chile, por las causas referidas de los malos gobiernos que ha tenido, por haber faltado la justicia y la ejecución de las

1. *Comentarios reales*, edic. cit., VIII, 356-57.
2. RICARDO ROJAS, *Historia de la literatura argentina: Los coloniales*, Buenos Aires, Roldán, 1924, I, 306-334.
3. *Colección de historiadores de Chile*, III. *Cautiverio feliz y razón de las guerras dilatadas de Chile*, por D. Francisco Núñez de Pineda y Bascuñán, Santiago de Chile, Imp. del Ferrocarril, 1863.

> cédulas y mandato del Rei nuestro señor, que guarde Dios muchos años para amparo de sus reinos [1].

Un aspecto interesante del libro son los atisbos felices de la naturaleza que ve —cosa rara entonces— con ojos limpios de mitología: la descripción de la creciente del Biobío en los capítulos VIII y IX del primer discurso; las frecuentes alusiones a las tormentas y a los "árboles de vistosísimas y hermosas copas". El capítulo XX, por ejemplo, comienza con unas líneas poéticas por la evocación y hasta por el ritmo, pues, en realidad, son versos:

> Amaneció otro día, de escarcha helada bien cubierto el campo, y por cima de sus cándidos tapetes, fuimos todos a echarnos al estero.

Las costumbres de los indígenas están descritas con tanta prolijidad, que a veces Núñez de Pineda recuerda a Cooper. Aprovecha todas las ocasiones de hablar a favor de los indios siempre en estos o parecidos términos:

> Sus acciones y arrestos valerosos han sido justificados, por haberlos ocasionado nuestras tiranías, nuestras codicias y nuestras culpas y pecados, atropellando la virtud y avasallándola, con que la guerra de Chile es inacabable [2].

El amor está ausente de este libro. Su autor se describe con una castidad sólo comparable a la de Alonso Quijano el Bueno, resistiendo las tentaciones de las mozas indígenas que de él se enamoran, aun de una que, por ser mestiza, "sobresalía por blanca, por discreta y por hermosa".

Hay además en la obra alguna que otra observación de interés psicológico como ésta:

> Cogimos el camino que se enderezaba al río de la Imperial; y preguntando a mis camaradas cuánto habría de adonde estábamos a él, respondieron los muchachos: «allí tras aquella loma

1. *Cautiverio feliz,* edic. cit., pág. 433.
2. *Ibid.,* pág. 28

está no más, muy cerca es»; y el cerca de los indios suele ser de dos leguas, poco más o menos [1].

2. *Cautiverio feliz* contrasta por su sencillez y realismo con la *Restauración de la Imperial y conversión de almas infieles* (1693), de Fray Juan de Barrenechea y Albis, considerada por José Toribio Medina como un ensayo de novela.

El libro, que su autor dejó inconcluso [2], tiene como episodio capital los amores de Rocamila y Carilabo —pareja ercillana—, y tanto la prosa como las octavas con que intentó realzarla son de calidad absolutamente mediocre.

SIGLO XVIII

En el siglo XVIII la literatura indianista no ofrece el interés de las épocas precedentes. Los poemas épicos casi desaparecen. Apenas alguno, como *Lima fundada* (1732), de Pedro de Peralta Barnuevo, intenta continuar la tradición de Ercilla.

La poesía descriptiva tiene expresión en el poema *Rusticatio mexicana* del guatelmateco Rafael Landívar (1731-1793), con detalles del paisaje de México y Centroamérica. El poema de Landívar es el más notable acierto en color local y visión directa del paisaje en la época de la Colonia; pero escrito en latín [3] y traducido al español en su forma íntegra después del período en que se desarrolla la novela indianista, no tuvo la difusión necesaria para influir en ella.

La novedad que encontramos en este siglo es la incorporación de los temas indígenas al drama.

---

1. *Cautiverio feliz*, edic. cit., pág. 223.

2. Se conserva manuscrito en la Biblioteca Nacional de Chile. Véase el comentario y descripción que hace de él Medina, en su *Literatura colonial de Chile*, Santiago de Chile, Imp. de la Librería del Mercurio, 1878, II, 336-349.

3. En 1895, cuando Menéndez Pelayo publicó el último volumen de su *Antología de la poesía hispanoamericana*, sólo incluyó la traducción del primer canto, hecha por D. Joaquín Arcadio Pagaza. La traducción del libro segundo, por el presbítero Rafael Dávalos Mora, se publicó en la revista «El Estudiante», marzo de 1914. Las traducciones completas de Escobedo y Loureda son de fecha posterior.

1. — El "Ollantay"

Entre los dramas escritos en quechua después de la Conquista, el *Ollantay* es el de más méritos literarios, a juzgar por el interés que ha despertado en la crítica desde 1837 en que D. Manuel Palacios lo comenta en el *Museo erudito del Cuzco,* hasta las investigaciones del profesor E. C. Hills de la Universidad de California. Resultado de los estudios del Sr. Hills fué el ensayo *The quecha drama Ollantá,* publicado en el tomo V, número segundo, de *The Romanic Review,* de Nueva York, y en la conferencia *El Ollantá y la literatura colonial en lenguas indígenas* [1]. En este último trabajo, donde el profesor Hills concluye que el drama en su forma actual fué compuesto en el siglo XVIII y que el Padre Valdés fué su autor, hay un dato que nos explica la casi ausencia de literatura indianista en la segunda mitad del siglo XVIII. *Ollantay* se representó entre los años 1770 a 1780 ante el Inca José Gabriel Condorcanqui, y es el Padre Valdés quien dirige la representación.

Condorcanqui se alza en contra de los españoles en 1780, asumiendo el título de Túpac-Amaru II, e inmediatamente después de su derrota se prohiben las representaciones de obras dramáticas en lengua quechua.

Es el mismo espíritu de alarma que hace prohibir la lectura de los *Comentarios reales.* Esta supresión termina con la guerra revolucionaria, época en que lo indio asumió un único matiz patriótico y antiespañol.

Desde 1868, en que el profesor de Ciencias Naturales de la Universidad de San Marcos, D. José Sebastián Barrancas, publicó la primera versión española del drama, cinco versiones se sucedieron: la del Dr. Fernández Nodal, en el tomo quinto de sus *Elementos de Gramática quechua,* 1874; la de Constantino Carrasco, adaptación en verso de la de Barrancas, Lima, 1876; la de B. Pacheco, 1881; la traducción española de la versión francesa de Gabino Pacheco Zegarra, Biblioteca Universal, Madrid, 1885.

Estas traducciones demuestran la boga de los temas indios en su época de más intensidad (1870-1880).

---

1. *Mensajes de la Institución hispanocubana de cultura,* 31 de mayo de 1930, I.

Aunque el drama evoca episodios del reinado de Pachacútec, noveno Inca del Perú, y de su sucesor Túpac-Yupanqui, el asunto entusiasmó como algo fantástico a los lectores de entonces. Además el drama tiene exquisitas esencias líricas; es lo lírico en él lo que más se imitó en las novelas poemáticas. Algunos pasajes, aun en la adaptación española del francés de Pacheco Zegarra, impresionan con el apasionamiento oriental del *Cantar de los cantares*.

Así, los dos bellos yaravíes, el de las palomas enamoradas [1] y el que podríamos titular descripción de la amada perdida [2].

En el primero encontramos el simbolismo amoroso, común en lo romántico: dos palomas en este caso; dos palmeras en *Pablo y Virginia*.

En el segundo, y el más bello, la aproximación al *Cantar de los cantares* en las imágenes y el tono es notable:

> La luna y el sol, llenos de júbilo, rivalizan para brillar sobre su frente que centellea con nuevo resplandor.
> Sus cejas embellecen su faz como dos arco-iris.
> Sus ojos centellean como dos soles al despertar el alba.
> Sus pestañas son flechas ardientes y mortíferas.
> Sus mejillas son rosas entre nieve y su rostro blanco y transparente alabastro.
> Sus labios entreabiertos dejan ver dos hileras de perlas, y cuando se ríe, su aliento embalsama todo a su alrededor.
> Su garganta es tersa como el cristal y como la nieve blanca.
> Sus pechos encantadores se asemejan a las flores del algodonero, recién abiertas.
> Al solo contacto de su mano tan suave, me estremezco de placer.

Sólo que esta Sulamita es blanca —raro, tratándose de una princesa inca—. Para que nada falte, lo melodramático aparece en el episodio de la prisión de Cusi-Coyllur. Aquella caverna en el jardín del templo de las vestales, donde la prisionera se encuentra ceñida por una serpiente, aterrorizada por una puma [3], es un episodio sombrío.

El noble sacerdote y su manera de investigar el porvenir, el

1. *Ollantay,* Madrid, Hernando, 1927, págs. 120-122.
2. *Ibid.,* págs. 131-132.
3. *Ollantay,* edic. cit., pág. 161.

templo de las vírgenes, los mensajes en "quipus" son otros tantos motivos exóticos.

El desenlace feliz no fué, sin embargo, imitado en las novelas indianistas. El drama termina como un cuento infantil, con la libertad de la prisionera, su boda con *Ollantay,* la exaltación social de éste. La clemencia del rey Túpac-Yupanqui hace olvidar la extraña crueldad de su padre Pachacútec.

2. — "El Siripo", de José Manuel de Labardén

La escasez de los temas indios que hemos señalado en esta época explica, en parte, el aplauso caluroso con que fué recibida la representación del drama *Siripo,* de José Manuel de Labardén (1758-1809).

Labardén es, sin duda, un instintivo americanista. Ya en sus tiempos de estudiante había escrito un drama basado en un episodio de *La Araucana* [1].

De *Siripo,* dramatización del episodio de Lucía de Miranda, narrado por Ruy Díaz de Guzmán en *La Argentina,* sólo se ha conservado el segundo acto; pero es bastante para colocar a Labardén, cronológicamente, como el primero en la expresión literaria de la argentinidad. Conquistadores e indios se objetivan ante la emoción de un pueblo que ve por primera vez en el tablado la representación de sus orígenes.

Así, la estrofa citada por Jorge Max Rhode, de la escena sexta, en donde Siripo dice al Capitán español:

> Las manos, con las armas ocupadas,
> de amigos nunca habéis podido darme,
> y las altas almenas de los fuertes
> asombran la humildad de nuestros ranchos.
> Los nombres, en señal de señorío,
> habéis a nuestras cosas ya mudado:
> el pariente del mar, Paraná grande,
> es Río de la Plata; el rico lago
> Apupen, ya se nombra Santa Ana [2].

1. Véase Ricardo Rojas, *Historia de la literatura argentina: Los coloniales,* Buenos Aires, Roldán, 1924, II, 720.
2. Jorge Max Rhode, *Estudios literarios,* Buenos Aires, Coni, 1920, pág. 159.

Modelado según el teatro predominante en el siglo XVIII español, tiene todo el artificio del neoclasicismo francés; pero en él encontramos ya pasajes, como el que acabamos de citar, donde vibra el sentimiento americanista y la entonación civil de los poetas de la revolución.

Mas no fué solamente la leyenda, sino la naturaleza americana, tema poético de Labardén. Su *Oda al majestuoso río Paraná* (1801) es también la primera aparición literaria de la naturaleza argentina. Sobrecargada todavía de reminiscencias clásicas, el Paraná va en carro de nácar, del que no tiran ya tritones, sino caimanes recamados de verde oro.

El triunfo de esta oda fué tan decisivo como el de *Siripo*. Imitaciones del poema y elogios al poeta que hoy se nos antojan cómicas hipérboles, como aquel de D. Manuel Medrano, refiriéndose a Labardén: "alado querubín del dios de Delfos" [1], nos demuestra la corriente patriótica que iba intensificándose como presagio de la rebeldía inminente.

---

1. Véase ROJAS, *Los coloniales*, edic. cit., pág. 738.

CAPÍTULO II

INFLUENCIAS EXTRANJERAS

La interpretación utópica de la vida indígena en América antes de la conquista y la emoción de filantropía ante el indio fueron los matices esenciales de la literatura indianista en Francia hasta el final del siglo XVIII. Esta literatura tuvo por fuentes principales a Las Casas y Garcilaso, y como antecedente francés a Montaigne.

1. — MONTAIGNE

En 1580, catorce años después de la muerte de Las Casas, apareció en Burdeos la primera edición de los ensayos de Montaigne. En el libro primero el tema indio aparece en el ensayo titulado *Des cannibales* [1].

Montaigne basó su defensa del salvaje, no en Las Casas y Garcilaso, sino en lo que le contó un sirviente suyo, "hombre simple y grosero", acerca de los indios del Brasil, país donde había vivido doce años. Montaigne mismo, según dice, conversó con algunos indios que habían ido a Francia. Así llegó a concebir a los indios en perfecto estado de naturaleza, para él el más bello, y en su entusiasmo les aplica la frase de Séneca: *Viri diis recentes.*

En *Des cannibales* están ya los principios capitales de Rousseau: la idea de que la civilización ha deformado las perfecciones de "nuestra grande y poderosa madre Naturaleza" y la exaltación de una edad dorada —en este caso en la América recién descubier-

1. *Essais de Montaigne,* Paris. Véase Lecrerc, I, 175-178.

ta— que Montaigne considera, por su ingenuidad y ausencia de toda preocupación social, muy por encima de la República platónica.

La minuciosa y entusiasta descripción que hace de las costumbres, alimentos, diversiones y religión de los indígenas, introduce el exotismo americano en la literatura francesa. Y alude fugazmente a las crueldades de la conquista española cometidas "bajo pretexto de la religión".

La utopía de Montaigne, ridiculizada por Shakespeare en *La tempestad,* no tuvo trascendencia directa en la literatura indianista de América. El gusto por la lectura de ensayos y el cultivo de este género se desarrolló mucho después de la difusión de los libros de Saint-Pierre y Chateaubriand. Precisa llegar a Juan Montalvo [1] para encontrar no sólo un devoto, sino un imitador de la manera ilógica y personal del ensayista gascón.

2. — Voltaire

Siglo y medio más tarde (1736) la emoción filantrópica y la censura de la conquista reaparecen en la tragedia *Alzire,* de Voltaire. Personajes de corte racinesco son aquí los indios y los españoles, de modo que el único rasgo americano es la indicación del lugar donde se desarrolla la escena: Lima.

Persiste la tendencia de ver en el indio virtudes superiores a las del europeo:

> L'Americain, farouche en sa simplicité
> nous égale en courage et nous passe en bonté [2].

La tragedia, sin embargo, sirvió de estímulo, cuando no de modelo, a los primeros cultivadores del tema indio en el teatro hispanoamericano.

Las obras de Voltaire se tradujeron al español junto con los demás enciclopedistas en el siglo XVIII, durante el predominio borbónico en España, y circularon por la América hispana inmediatamente después de la Revolución, y de modo más limitado, durante

1. *Los siete tratados,* compuestos en su mayor parte en 1873.
2. *Théâtre de Voltaire: Alzire,* Paris, Garnier, s. a., pág. 179.

la Revolución. El *Siripo* de Labardén y el *Molina* de Belgrano, por citar dos de los más importantes, pertenecen, por el tono y por los defectos, a la misma escuela de *Alzire.*

Voltaire utiliza además el tema indio como pretexto para sus sátiras anticlericales. En *Candide* (1759) introduce un episodio en que el protagonista, acompañado de su criado Cacambo, se salva de una muerte cruel entre los indios orejones de Paraguay, cuando éstos se convencen de que ha dado muerte a un jesuíta [1]. En la misma obra describe la utopía de *El Dorado,* que más parece un cuento oriental, poniendo en boca de un viejo patriarca sus ideales sociales y religiosos [2].

En fin, transporta a un joven Hurón a Francia [3], quien, aunque resulta ser hijo de franceses, criado entre salvajes desde tierna edad, es un verdadero primitivo.

En este caso, el choque del joven con la sociedad sirve a Voltaire para exponer su artificio, criticar la religión y hasta adelantarse a Rousseau en Pedagogía. Preso en la Bastilla en la misma celda de un jansenista, que le educa en Ciencias y Filosofía, el Hurón hace progresos rápidos "porque su entendimiento, no habiendo sido deformado por el error, se había conservado en toda su rectitud".

Mas la sátira anticlerical y la crítica de la civilización europea no son motivo en las novelas indianistas románticas: apenas se insinúan en la novela *Los mártires del Anáhuac,* de Eligio Ancona.

3. — La contribución de Rousseau

Aunque Rousseau refuerza la idea de la superioridad del salvaje ante el civilizado, no es ésta su contribución más importante para nuestro estudio. Para la novela romántica universal, su contribución más valiosa fué su modo de sentir la naturaleza.

Como observa Arthur Chuquet [4], con Rousseau la naturaleza se asocia a las emociones de los personajes y participa de ellas:

1. *Romans de Voltaire,* Paris, Garnier, s. a., págs. 154-157.
2. *Ibid.,* págs. 157-165.
3. *Ibid.,* págs. 298-360.
4. Arthur Chuquet, *J. J. Rousseau,* Paris, Hachette, septième édition, pág. 191.

> Le premier, il avait mêlé le paysage au récit, encadré les tableaux de la vie morale dans un site aimable ou majestueux, prête le décor et comme il dit, le concours des objects environnants aux aventures des personnages.

La literatura griega ocasionalmente, la latina y renacentista en mayor grado, habían establecido relaciones entre la naturaleza y el hombre, pero nunca de la manera íntima y exaltada con que Rousseau da alma al paisaje para convertirlo en vaso de su ensoñación.

La relación más sencilla, la naturaleza enmarcando la situación del hombre en concordancia perfecta, la ha expresado Rousseau de modo insuperable. Un ejemplo de *Les rêveries* bastará para comprender las posibilidades que mostró al arte con su procedimiento. La vista otoñal del campo lo sume en una ensoñación de correspondencias entre su edad, su estado de alma y el paisaje. Como el paisaje "se veía en el ocaso de una vida inocente e infortunada, llena el alma todavía de sentimientos vivaces, adornado aún el espíritu de algunas flores ya marchitas por la tristeza" [1].

De la concordancia entre el paisaje y el particular estado de emoción, Rousseau pasaba con frecuencia a la completa inmersión de su personalidad en el paisaje, diluyéndola en lo subracional. Entonces sorprendía el fluir del tiempo en corriente íntegra, sentía cómo el presente es eterno. Esta sensación, base de los bellos éxtasis panteístas descritos en *La lámpara maravillosa,* de Valle-Inclán, es la clave de la relación más exaltada entre el hombre lírico y la naturaleza; relación que desconocieron los renacentistas, contenidos dentro de lo racional.

De esta inmersión en la naturaleza pasa a la idea intuitiva del infinito y de Dios:

> Je crois que si j'eusse dévoilé tous les mystères de la nature, je me serais senti dans une situation moins délicieuse que cette etourdissante extase à laquelle mon esprit se livrait sans retenue, et qui, dans l'agitation de mes transports me faisait écrier quelque fois: O grand Être! o grand Être! sans pouvoir dire ni penser rien de plus [2].

---

1. *Les rêveries d'un promeneur solitaire,* Paris, Garnier, s. a., pág. 10.
2. *Troisième lettre à M. Malesherbes, Pages choisies de J. J. Rousseau,* Paris, Armand Colin, 1912, 209.

La contemplación de las bellezas naturales despertaba en Rousseau uno de los sentimientos dominantes de su personalidad: el anhelo arcádico [1].

En la tercera carta a Malesherbes, tras la descripción lírica del bosque, lo puebla imaginariamente de seres "según su corazón", de una sociedad encantadora, una edad de oro, según su fantasía [2].

La influencia definitiva de Rousseau en cuanto a la naturaleza se refiere nos vino indirectamente a través de Saint-Pierre y Chateaubriand. Los revolucionarios hispanoamericanos conocieron el Rousseau del *Contrato social*, ante todo, obra que, según Sarmiento, en esa época "volaba de mano en mano" [3]. En los primeros años de vida independiente se leyeron sus discursos; el mismo Sarmiento lo cita para apoyar una afirmación acerca del estado primitivo [4]. A partir de 1840 comienzan a publicarse descripciones en prosa de la naturaleza americana: *Impresiones de las islas del Paraná,* de Marcos Sastre; *Memoria descriptiva de Tucumán* (1834), de Alberdi, donde el paisaje empieza a verse a la manera de Rousseau y Saint-Pierre. Pero, a partir de 1860, Chateaubriand avasalla la conciencia poética de los hispanoamericanos, y Rousseau nos hablará desde entonces a través de él.

4. — Marmontel

Discípulo de Voltaire en cuanto a la tesis social y la inculpación de crueldad y fanatismo de la Conquista española de América, Marmontel merece un estudio más detenido por concretar ya en su novela *Les Incas* (1777) ciertos rasgos románticos, y porque esta novela es el puente por donde retornan a América las influencias de Garcilaso el Inca y de Las Casas.

Las fuentes principales de Marmontel son los *Comentarios reales,* Las Casas y Antonio de Solís, y la mayor parte de su libro es una glosa de estos cronistas; pero de cuando en cuando la pesa-

1. Irving Babbit, en su libro *Rousseau and romanticism,* Boston, Houghton Miffling, 1919, ha puntualizado todos estos matices del sentimiento de la naturaleza en Rousseau.
2. *Pages choisies,* edic. cit., pág. 207.
3. *Facundo,* Buenos Aires, Roldán, 1921, pág. 137.
4. *Ibid.,* pág. 315.

dez de la narración se aligera con descripciones poéticas de la naturaleza y de los mitos incaicos.

Hay, además, dos episodios de amor romántico: el de Amazili y Orozimbo y el de Alfonso de Molina y Cora. La tormenta descrita en el capítulo XX introduce este elemento en la novelística de su género definitivamente. De esta descripción al pasaje equivalente en *Atala* sólo faltan los relieves que Chateaubriand, con un arte más acabado, supo dar a la suya.

La descripción de la edad de oro en la Isla Cristina [1] tiene detalles pintorescos, y hay cierta grandeza dramática en las páginas que describen al Pichincha en erupción.

Pero el elemento de más trascendencia literaria es el de los amores de la sacerdotisa Cora y Alfonso de Molina. Cora anticipa el conflicto de Atala, al ser dominada por una pasión sacrílega, y Molina, que une a su elevación de sentimientos, la belleza de un dios, tiene ya todas las cualidades de un héroe romántico. El desenlace de este episodio inventado por Marmontel [2] logra eficacia emotiva, especialmente en la defensa que hace Molina de su amada, con la cual consigue su perdón y la abolición del voto de castidad impuesto a las vestales.

Como observa acertadamente Le Breton [3], la novela alcanza por momentos un estilo poético, especie de parodia anticipada de la primera parte de *Les Natchez*.

Les Incas fué traducida al español en el siglo XVIII y circulaba por la América hispana en 1835: el aviso de libros de la librería Mompié e Isaac, publicado en la *Gaceta Mercantil*, de Buenos Aires, del 18 de noviembre de ese año, la incluye entre los libros interesantes.

Pero antes, en 1823, Manuel Belgrano, sobrino del patriota de ese nombre, había recibido la influencia indirecta de *Les Incas* en su drama *Molina*. Ricardo Rojas [4], en las páginas que dedica a Belgrano y su obra, señala como fuente de *Molina* una tragedia escrita por el portugués Vicente Acuña, traducida e impresa en Buenos Aires, en 1814, con el título *El triunfo de la naturaleza*.

1. *Les Incas*, Paris, F. Dalibon, 1833, II, 12-14.
2. *Les Incas*, edic. cit., II, 101-111.
3. Le Breton, *Le roman français au dix-huitième siècle*, Paris, Boivin, s. a., pág. 224.
4. *Historia de la literatura argentina: Los modernos*, Buenos Aires, Roldán 1922, págs. 577-583.

La obra de Belgrano [1] dramatiza el episodio de Marmontel con los mismos personajes y sólo añade un pontífice que se enamora de la sacerdotisa complicando la acción. La forma seudoclásica y los versos prosaicos de Belgrano deslucen la belleza de la narración original, y, desde luego, la defensa de Molina en *Les Incas* supera a la escena equivalente en el drama:

> No morirás, no, Cora; te consuela.
> No morirá, inhumanos, no; primero
> habéis de aniquilarme, gente horrenda.
> Ataliba, ¿conoces a Molina?
> Él solo ha sido el criminal; ordena,
> ordena inexorable su suplicio [2].

El tema poético de los amores de Molina y la derivación del conflicto amoroso de una virgen del sol reaparecerá en diversas ocasiones en la literatura posterior de nuestro romanticismo, hasta la leyenda en verso de Juan León Mera, *La virgen del sol* (Quito, 1861).

Una curiosa transferencia del tema es el romance *Cora* [3], del poeta cubano Gabriel de la Concepción Valdés (Plácido).

El romance, bastante mediano, narra los preparativos del suplicio. la llegada de Alfonso y la abolición de "la ley inicua" por Ataliba. Dada la escasa cultura literaria de Plácido, es probable que el asunto llegara a él a través de un drama que compuso Juan Miguel Losada, en 1838, titulado *La sacerdotisa del sol* [4]. En una nota al lector, Losada elogia "los brillantes coloridos que la pluma de Marmontel" dió al episodio en sus *Incas*.

Es así como la evocación incaica de los *Comentarios reales* vuelve de Francia a América. La novela romántica no aprovechará la tradición incaica con tanta frecuencia como la azteca. El incaísmo, incorporado en nuestra novelística por el uruguayo Manuel Luciano Acosta en su *Guerra civil entre los Incas* (184?) tiene mejor

1. Véase la edición del Instituto de Literatura Argentina, Buenos Aires, Imp. de la Universidad, 1925.
2. *Molina,* edic. cit., pág. 55.
3. *Poesías de Plácido,* Paris, Bouret, 1904, págs. 152-154. Aparece en la primera edición de estos poemas, Matanzas, 1838, págs. 192-194.
4. Habana, Imp. de Soler, 1849.

suerte en época post-romántica, en las obras de Aguirre Morales y Enrique López Albújar[1].

5. — Saint-Pierre

La interpretación de la naturaleza como "un concierto que eleva al hombre hacia su autor", como maestra objetiva de vida sana en lo físico y lo moral, no era nueva en la literatura española.

Fray Luis de Granada, en la primera parte del *Símbolo de la fe,* sostiene la misma tesis sin incurrir nunca en las puerilidades, muchas veces risibles, de Saint-Pierre. La descripción de la granada, del pavo real, de las abejas, muestran a Fray Luis como sagaz observador que veía la Naturaleza sabia y amorosamente.

La novedad revelada por la traducción española de *Pablo y Virginia* hecha por el Abate Alea, en 1879, fué el exotismo tropical. Las obras de Saint-Pierre *Estudios sobre la naturaleza, Armonías de la naturaleza* y, sobre todo, *Pablo y Virginia,* continuaron reimprimiéndose en español durante el período que estudiamos. Alguna vez apareció *Pablo y Virginia* en un mismo volumen con *Atala* y *René*[2].

El sentimiento de la naturaleza desarrollado por Rousseau, sus ideas filosóficas, siguen vivas en Saint-Pierre. Pero el claro idilio que es *Pablo y Virginia* enseña a los hispanoamericanos la apreciación de lo pintoresco auditivo y visual en la naturaleza del trópico; el sentido del matiz, las gradaciones de luz. Uno de los libros en que mejor puede estudiarse la manera como se infiltró el estilo de Saint-Pierre en nuestra prosa es *El tempe argentino,* del uruguayo Marcos Sastre (1809-1883), publicado en 1858 en el tomo V de la *Biblioteca Americana* que dirigía Magariños Cervantes en Buenos Aires.

La adaptación de los procedimientos de Saint-Pierre es evidente:

> Aquí el naranjo esférico ostenta majestuoso su ropaje de

1. Véase Luis Alberto Sánchez, *La literatura peruana,* Lima, 1928, I, 33.
2. Allison Peers, en su estudio *Chateaubriand en España,* en «Revista de Filología Española, Madrid, 1924, XI, menciona una edición de 1850.

> esmeralda, plata y oro; allí el cónico laurel de hojas relucientes refleja el sol en mil destellos; allá asoman sus copas el álamo piramidal, la esbelta palma, el enhiesto aliso; más allá, los durazneros, de formas indecisas, compiten entre sí en la copia y variedad de sus pintados frutos; y, por todas partes, el seibo florido, patriarca de este inmenso pueblo vegetal, muestra sus orgullosos penachos del más vivo carmín y extiende sus brazos a las amorosas lianas, formando encumbrados doseles, graciosos cortinados y umbrosas grutas, que convidan al reposo y al deleite [1].

Sigue la reflexión optimista ante esas maravillas:

> En medio de estas cabañas solitarias es donde reinan la seguridad, la calma, la armonía; bienes debidos, no al freno de las leyes, sino a la influencia de la religión, de la libertad y de la naturaleza. Esta madre liberal es inagotable, prodiga en estos ríos y en estos campos, como en el siglo de oro, sus bellezas y sus bienes. Todo parece aquí preparado para la satisfacción y el bienestar del hombre, sin el trabajo abrumante que por todas partes lo persigue. Todo le induce al fácil cultivo de tan fecundo suelo; todo le inspira el amor a la paz y a la confraternidad [2].

Ejemplos parecidos hay en la prosa romántica de Hispanoamérica, a partir de 1840: la descripción de las iluminaciones nocturnas de insectos fosforescentes, por el venezolano Arístides Rojas [3], algunas descripciones de Sarmiento en *Recuerdos de provincia;* el *Viaje por el río Magdalena* [4], de Miguel Cané (1851-1905), donde se juntan, en una misma página, el sentido del color, en un tema amado por Saint-Pierre —una bella descripción de las nubes—, y el lujo descriptivo impregnado de misterio de la selva de Chateaubriand.

La crítica suscitada por la publicación de la novela *María,* de Jorge Isaacs (1867), al sugerir la comparación con *Pablo y Virginia,* revela un entibiamento de entusiasmo por Saint-Pierre a favor del

1. MARTÍN CORONADO, *Literatura americana,* Buenos Aires, Ángel Estrada, s. a., pág. 151.
2. MARTÍN CORONADO, *Literatura americana,* edic. cit., pág. 153.
3. *Ibid.,* págs. 262-263.
4. MARTÍN CORONADO, *Literatura americana,* edic. cit., págs. 159-162.

novelista colombiano. José María Vergara y Vergara señala la simetría con que están presentados los personajes de Saint-Pierre [1]; José Manuel Estrada, en su artículo *La María de Jorge Isaacs*, puntualiza "la tendencia doctrinaria de Saint-Pierre" y su "propaganda exagerada y quimérica en favor del estado de naturaleza" [2], para exaltar la superioridad de *María*.

Pero ya para esta época la misión de Saint-Pierre había terminado en la literatura hispanoamericana. El sentimiento romántico de la naturaleza había llegado a su plenitud en esa misma novela de Isaacs.

6. — Chateaubriand

El exotismo americano en su más alta expresión artística lo representa en Francia Chateaubriand. Él es, al mismo tiempo, el estímulo más fuerte de los cultivadores del tema indio en la época romántica. Ningún autor extranjero de la primera mitad del siglo XIX conquistó devoción tan unánime en la América hispana.

La influencia de Chateaubriand en nuestra literatura constituye por si asunto fascinante para una disertación doctoral. *Atala*, por lo menos, está unida desde el año de su aparición con la historia literaria de América: la primera traducción española de *Atala* fué hecha por el fraile mexicano Fray Servando Teresa de Mier en 1801.

En sus *Memorias* [3], hablando de la escuela de lengua española que abrió en París con el venezolano Simón Rodríguez, nos dice Fray Servando cómo, para acreditar el establecimiento, tradujo "el romancito o poema *Atala* de M. de Chateaubriand, que está muy en celebridad. Yo la traduje, aunque casi literalmente, para que pudiese servir de texto a nuestros discípulos, y con no poco trabajo, por no haber en español un diccionario botánico y estar lleno el poema de los nombres propios de muchas plantas exóticas de Canadá, etc., que era necesario castellanizar".

---

1. «La Patria (Revista de Bogotá), 1878, pág. 339.
2. Martín Coronado, *Literatura Americana*, edic. cit., págs. 24-25.
3. Fray Servando Teresa de Mier, *Memorias*, Prólogo de Alfonso Reyes, Madrid, Editorial América, s. a., págs. 244-246.

Añade que el libro se imprimió con el nombre de Samuel Robinsón, con que se hacía nombrar Simón Rodríguez. Nos dice, además, que el primero que vino a comprar la traducción fué el mismo Chateaubriand.

El entusiasmo por Chateaubriand duró mucho más en la América española que en España y tuvo asimilación más perfecta.

Observa Allison Peers que en España ningún genio romántico revela su influencia, "y aun en los autores de segunda fila hay pocos que le hayan seguido hasta una fecha relativamente posterior" [1].

Las traducciones españolas de Chateaubriand que han sido ordenadas por Allison Peers en el estudio citado, llevan a la conclusión siguiente: de 1800 a 1830, la popularidad de *Atala, René* y *El último Abencerraje* culmina con la inmensa boga de *Atala;* de 1830 a 1843, la boga de las obras puramente literarias decrece para dar lugar al interés por las obras políticas; de 1843 a 1860 se publican ediciones completas de las obras de Chateaubriand; después de 1854 se traducen raramente las obras de imaginación, y tampoco las obras de otra índole después de 1860.

Posteriormente, M. Núñez de Arenas, en su artículo *Notas de Chateaubriand en España,* publicado en la *Revista de Filología Española,* Madrid, 1925, XII, 290-296, observa que las conclusiones de Allison Peers son exactas solamente en lo que se refiere a las obras políticas. Afirma Núñez de Arenas que conoce siete ediciones españolas de *Atala* y nueve de las otras novelas en el período de 1860 a 1890. No obstante, la imitación de Chateaubriand fué, como veremos en seguida, más definida en Hispanoamérica que en España.

En América *Atala* empezaba a ser bastante conocida en 1822, fecha en que el colombiano José Fernández Madrid (1784-1837) incluyó en la primera edición de sus obras la tragedia *Atala* [2].

En 1825 los estudiantes del Colegio del Rosario (Bogotá), representaron esta obra. Asistieron al acto Bolívar y Sucre [3]. Un joven

---

1. *Influencia de Chateaubriand en España,* est. cit., pág. 365.
2. *Poesías* del ciudadano José Fernández Madrid, La Habana, Imp. Fraternal, 1822.
2. *Poesías* del ciudadano José Fernández Madrid, La Habana, Imp. Fraciones Colombia, 1927, pág. 62.

llamado Plácido Morales personificó a *Atala* y "más de una lágrima de compasión hizo brotar de los ojos de las sensibles damas".

Comienza la tragedia con la escena de la tormenta. *Chactas* y *Atala* dialogan sin más antecedentes explicativos, reproduciendo los detalles de esta parte de la novela. Como en los romances viejos castellanos, los personajes son bien conocidos por el público, que casi puede improvisar mentalmente el curso del diálogo.

Fernández Madrid desglosa de la novela la parte más dramática. *Chactas* dice:

> ¿Y por qué en el silencio de la noche
> te acercaste benigna a mi retiro
> a decirme palabras de consuelo,
> hija de Simagán? Cuando a mi oído
> llegó tu dulce voz, tierna, calmante,
> te tuve por espíritu divino;
> la virgen de los últimos amores
> me pareciste, te adoré sumiso.

En seguida aparece el Padre Aubrey, cuyo nombre ha convertido el autor en Obrí. En algunos momentos Fernández Madrid cae en un prosaísmo lamentable que hubiera irritado a Chateaubriand. En la escena primera del segundo acto *Chactas* llama a *Atala* inhumana y mujer interesada que desprecia su amor, pensando en el poder y las riquezas [1], y ella se lamenta de verse conceptuada como una "mercenaria". Obrí, felizmente, ha perdido en la tragedia su manía de predicador pesimista.

Esta tragedia comienza la etapa de entusiasmo creciente por la novela de Chateaubriand. Mucho más interés literario tiene el poema *Atala* que José María de Heredia (1803-1839) incluyó en la primera edición de sus poesías [2]. La composición es bella, e indica que para los jóvenes soñadores de Hispanoamérica la heroína de Chateaubriand tenía ya la atracción de un personaje vivo, hasta el punto de ser cantada por los poetas. La virgen india describe su apasionado amor:

1. *Obras de Fernández Madrid, Impresas y publicadas en su centenario por la gobernación del Departamento de Bolívar,* Bogotá, Imp. de Fernando Pontón, 1889.

2. Nueva York, Imp. Gray y Bunce, 1925, págs. 147-150.

¿Qué han menester los hijos de los bosques
para vivir? En su follaje verde
felice techo nos dará la encina.
Saldrá el brillante sol, y a par sentados,
al margen de torrente bullicioso
veremos con placer su luz divina.

Y, recordando el "voto detestable", termina:

¿Y le habré de olvidar? Vuela el colibri
de un bosque a otro, y su pequeña esposa
parte rauda tras él... ¡Mi suerte impía
volar me niega tras la prenda mía!

Gabriel de la Concepción Valdés (Plácido), discípulo de Heredia, quiso dar expresión al dolor de Chactas en la muerte de Atala, y compuso una canción, también titulada *Atala.* Muy inferior a la poesía de Heredia, escrita para cantarse, posee interés como reacción de otra alma de poeta joven ante los protagonistas inmortales:

Pues ha muerto mi Atala, ¿qué importa
que los astros despidan fulgores
y se sequen las plantas y flores
o el mar quiera la tierra invadir?
Fué la hija de Lope mi cielo,
cara amiga, dulcísima hermana,
bella flor que una sola mañana
vió la aurora nacer y morir [1].

El poeta ecuatoriano José Joaquín de Olmedo (1780-1847) escribió una *Canción indiana* que sigue casi literalmente el episodio de "la prueba de la antorcha" en *Atala:*

Entre las sombras mudas
en esta alzada loma,
yo busco mi paloma
en alas del amor.

1. *Poesías de Plácido,* París, Bomet, 1904, págs. 185-187.

Yo voy a sorprenderla
allá en su mismo nido,
solitario y querido,
antes que nazca el sol.
....
Cual conchita de nácar
de perlas guarnecida,
su boca reducida
exhala grato olor.
Sus ojos de paloma
que arrulla lastimera;
su larga cabellera
es un campo de arroz.
Yo voy a sorprenderla
antes que nazca el sol.
Sus mágicas palabras
son bálsamo suave
que las heridas sabe
curar del corazón.
Sus pechos son cabritos
en un día nacidos,
de una madre paridos
y del mismo color.
¡Oh, Mila!, que yo vea
pendiente de tu seno,
y de mil gracias lleno,
el fruto de mi amor [1].

La *Canción indiana* está incluída en la edición que Juan María Gutiérrez hizo de las poesías de Olmedo en 1848.

No fueron estos poetas los únicos que cantaron bajo el signo de la novela de Chateaubriand. Muchas explosiones de sentimiento quedaron inéditas, perdidas quizá al margen del texto de *Atala*. O, como en el caso de J. M. Vergara y Vergara (1831-1872), escritas en una pared [2] quince años después de la primera lectura del poema.

Vergara y Vergara es representante del momento en que la obra de Chateaubriand en Hispanoamérica suscita la más encen-

1. OLMEDO, *Poesías*, Paris, Garnier, 1896, págs. 185-188.
2. Véase VERGARA Y VERGARA, *La tumba de Chateaubriand*. «La Patria» (Revista de Bogotá), Bogotá, 1878 pág. 317.

dida devoción. El escritor colombiano visita la tumba del vizconde poeta en St. Malo, y cuenta sus impresiones en unas páginas en prosa:

> Reconstruí —dice— toda mi vida desde el día en que cayó en mis manos el primer libro del muerto, cuya tumba honraba en este instante. Vi el ancho corredor de Casa Blanca en que leí ese libro, y en que quince años después escribí en la pared el borrador de unos versos a Atala.

Ésta es la actitud del hispanoamericano culto ante Chateaubriand en el período de 1860-1880. En ese período se publicaron los fragmentos del poema *Gonzalo de Oyón,* del colombiano Arboleda, donde la heroína Pubenza remeda a Atala en apasionamiento; las novelas indianistas de carácter poemático —*Anaida, Iguaraya, Cumandá*—, donde la huella de Chateaubriand es fácilmente discernible y aparece la bella novela de Jorge Isaacs, *María* (1867), imitación, la más feliz, de la tensión lírica y amorosa de la novela francesa; donde los personajes capitales leen a *Atala* y viven sus emociones intensificadas por esa lectura.

Efraim lee a María y Emma las páginas de *Atala.* Al terminar, el sol se había ocultado. Isaacs describe el efecto de esta lectura en palabras que demuestran cómo la sensibilidad romántica hacía una perfecta adecuación entre el arte y la vida:

> La cabeza pálida de Emma descansaba sobre mi hombro. María ocultaba el rostro con entrambas manos. Luego que leí aquella desgarradora despedida de Chactas sobre el sepulcro de su amada, despedida que tantas veces ha arrancado un sollozo a mi pecho, María, dejando de oír mi voz, se descubrió la faz, y por ella rodaban gruesas lágrimas. Era tan bella como la creación del poeta, y yo la amaba con el amor que él imaginó [1].

Juan Bautista Alberdi (1810-1884), en ese mismo período, al señalar la ausencia de verdadera poesía americana, se refiere a las novelas indias de Chateaubriand, proclamando al autor "el Homero de este siglo" [2].

---

1. *María,* Barcelona, 1912, págs. 41-42.
2. *Pensamientos,* Buenos Aires, Roldán, 1920, pág. 195.

Por último, el ensayista más notable de nuestro romanticismo, el ecuatoriano Juan Montalvo, siente "el dolor absurdo de que Chateaubriand se le hubiera anticipado en Chactas y Atala"[1]; y en sus *Siete tratados* (1873), explicando las razones porque Bolívar no es admirado debidamente en Europa, da por una de ellas el hecho de que sus proezas no han sido descritas por escritores "de pluma de águila", y termina: "Pero la Musa de Chateaubriand anda dando su vuelta por el mundo de los dioses"[2].

En época post-romántica, José Enrique Rodó cita a Chateaubriand como uno de los estímulos capitales en el desarrollo del sentimiento de la naturaleza en la literatura hispanoamericana. Su ensayo *Juan María Gutiérrez y su época*[3], tan orientador en la interpretación de nuestro romanticismo, tiene dos párrafos llenos de alusiones relacionadas con el tema de este trabajo:

> Rasgando inesperadamente la atmósfera de afectación y frialdad de la literatura de su tiempo con el soplo de la naturaleza y la pasión, un libro se publicaba en Francia que los corazones acongojados todavía por el horror revolucionario acogieron con íntima y ansiosa gratitud. Hablaba, en medio de una sociedad sacudida en sus cimientos por el desborde de todas las violencias humanas, del misterio reparador de los desiertos infinitos, y era como un soplo balsámico venido de Occidente para dulcificar el ardor del ambiente, inflamado en el olor de la pólvora y la sangre. Aquel libro, *Atala*, traía consigo la revelación de la naturaleza de América.

Y más adelante:

> Chateaubriand adquirió, de su paso por las tribus de la Florida, el sentimiento de originalidad exótica, y lo infundió en la novela franqueando el camino que luego había de recorrer con más escrupulosa observación Fenimore Cooper. Al indio de la filantropía y las ficciones patriarcales sucedió el del amor interesante y melancólico; al indio de *Les Incas* y *Alzire*, el de *Atala* y *Les Natchez*.

---

1. Prólogo a los *Capítulos que se le olvidaron a Cervantes*, Paris, Garnier, 1921, pág. 45.
2. *Los siete tratados*, Paris, Garnier, 1923, II, 147.
3. *El mirador de Próspero*, edic. cit., II, 177.

Todavía en *Motivos de Proteo* vuelve a expresar su admiración por Chateaubriand, al aludir a René, "en donde se juntan en un abrazo inmenso la grandeza de la tierra salvaje con la grandeza del humano dolor" [1].

Es el indio "interesante y melancólico" el más frecuente en las novelas de nuestro romanticismo, y Chateaubriand el modelo que se aspira a imitar en las novelas poemáticas.

7. — Fenimore Cooper

Alusiones frecuentes a las novelas de Cooper por los autores hispanoamericanos de la época romántica, indican que fué muy leído y admirado en la América hispana. Es interesante notar que, en España, la actitud de la crítica y los lectores cultos era completamente opuesta. John de Lancey Ferguson, en su libro *American Literature in Spain,* dice a este respecto:

> Cooper was looked upon in the two or three articles to be found in the magazines of the second quarter of the century, only as a spinner of yarns, and his reputation, like that of Mrs. Rowson in America, developed below the level of criticism. In Spanish histories of literature he is granted no more than a foot note [2].

La primera alusión a Cooper que encuentra Ferguson en la crítica de habla española es en *El repertorio americano,* 1826, revista publicada en Londres por Andrés Bello, especialmente para circular en la América hispana. En la sección "Libros que pueden interesar a América" incluye *The last of the Mohicans,* enumerando las ediciones inglesas, francesas y americanas de la novela. Llama a Cooper "el Walter Scott de América", título que se hizo convencional en las escasas y superficiales críticas subsiguientes de autores españoles.

---

1. *Motivos de Proteo,* Barcelona, Cervantes, 1923, pág. 256.
2. John de Lancey Ferguson, *American Literature in Spain,* New York, Colombia University Press, 1916, pág. 32.

La única excepción de crítica original es la del periodista y jurisconsulto, cubano de nacimiento, D. Rafael María de Labra. En los párrafos que dedica a Cooper en un artículo titulado *Literatura norteamericana en Europa* [1], se refiere a la popularidad del autor como algo del pasado. Descubre la unidad del pensamiento del novelista a través de toda su obra: describir el período en que surgía la República norteamericana. Termina señalando el mérito esencial de Cooper en estas palabras:

> Fué uno de aquellos escritores cuyas obras son una ampliación, o mejor, una traducción idealizada de las impresiones y experiencias de sus vidas.

La mejor comprensión de Cooper en Hispanoamérica nos parecerá natural si recordamos que sus novelas de tema indígena y de historia revolucionaria eran algo que debía interesar a los hispanoamericanos que poseían y habían vivido momentos similares. El entusiasmo y admiración notorios de que es objeto Cooper en la América hispana vino de Francia, como buena parte del impulso romántico, donde Cooper fué estudiado por Balzac, George Sand, Romey, Loménie y Victor Hugo.

En la lista de traducciones españolas de las obras de Cooper, que Ferguson incluye en su estudio, hay dos impresas en América: *El puritano de América* o *El valle de Wish-ton-wish,* México, Imp. de Boix, 1852, y *Los dos almirantes,* La Habana, 1882. *El valle de Wish-ton-wish,* que no pertenece a la serie *The Leatherstocking Tales,* fué una de las novelas de Cooper más leídas en Hispanoamérica, y ese mismo año, 1852, apareció con el título *El colono de América,* en Madrid, Tip. de Mellado. Ya existía una traducción española anterior, hecha por Manuel Moralejo, en París, 1836. Se han encontrado, pues, cuatro traducciones españolas de esta obra, hechas de 1832 a 1860.

En ese mismo período, que es el de la popularidad máxima de las novelas indias de Cooper en Hispanoamérica, el Sr. Ferguson ha descubierto cuatro reimpresiones españolas de *The last of the*

1. *Revista de España,* abril, 1879.

Mohicans, dos de *The Prairie,* dos de *The Pioneers* y una de *Deerslayer,* con el título de *El cazador errante,* Madrid, Biblioteca Iberia, 1858.

Debe recordarse, además, que estas novelas fueron también publicadas en los folletines de los periódicos según la costumbre del siglo XIX.

El primer escritor hispanoamericano que muestra una huella decisiva de Cooper en su manera de narrar es Sarmiento. En la primera parte de *Facundo* (1845) elogia a Cooper y adelanta una explicación de su triunfo ante la crítica europea.

> El único romancista norteamericano que haya logrado hacerse un nombre europeo es Fenimore Cooper, y eso porque transportó la escena de sus descripciones fuera del cuadro ocupado por los plantadores, al límite entre la vida bárbara y la civilizada, al teatro de la guerra en que las razas indígenas y la raza sajona están combatiendo por la posesión del terreno [1].

Como se ve, Sarmiento confiesa, veladamente, que el ejemplo de Cooper le estimuló en el desarrollo de su tema *civilización y barbarie.*

Luego establece un paralelo entre las características de Ojo de Halcón y Uncas y las que puntualiza en los gauchos:

> Cuando leía en *El último de los mohicanos,* de Cooper, que Ojo de Halcón y Uncas habían perdido el rastro de los Mingos en un arroyo; cuando, en *La Pradera,* el Trampero mantiene la incertidumbre y la agonía mientras el fuego los amenaza, un argentino hubiera aconsejado lo mismo que el Trampero sugiere al fin.

Y después de señalar otras analogías termina:

> No es otra la razón de hallar en Fenimore Cooper descripciones de usos y costumbres que parecen plagiadas de la Pampa; así hallamos, en los hábitos pastoriles de la América, reproducidos hasta los trajes, el semblante grave y la hospitalidad árabes [2].

1. D. F. Sarmiento, *Facundo,* Buenos Aires, Roldán, 1921, pág. 48.
2. *Idem,* íd., págs. 48-49.

En la parte que dedica en *Facundo* a la biografía de Quiroga, hay una página en donde, queriendo imitar a Cooper, le supera en la intensidad y gradación del dramatismo: el episodio que describe la escapada de Quiroga de las fauces de un tigre [1].

Vicente Fidel López, en carta al Dr. Navarro Viola, fechada en Montevideo, 7 de septiembre de 1854, alude al novelista estadounidense con admiración, confesando que sabe que no está destinado a repetir a Cooper en la República Argentina [2].

Bartolomé Mitre, en el prólogo que escribió para *Recuerdos de antaño,* de Víctor Gálvez [3], refiriéndose a la novelística argentina, apunta:

> No tiene tampoco un solo novelista siquiera sea de la fuerza de Fenimore Cooper.

Enrique Piñeyro, en un artículo publicado en *La Patria,* de Bogotá [4], recomienda como medicina para los temperamentos débiles y sentimentales una dieta formada con pasajes escogidos de las novelas de Cooper, aunque ya critica la fecundidad contraproducente del autor y la extensión prolija de sus novelas.

Juan León Mera, en fin, en el prólogo de su novela *Cumandá,* alude al "inimitable pincel" con que Cooper describió los salvajes y la naturaleza de América.

Sin embargo, el influjo del autor de *The last of the Mohicans* en la literatura hispanoamericana es escaso, si se compara con el de Chateaubriand. Su influencia se reduce a sugerir ciertos episodios que señalaremos oportunamente. En el estilo, casi todos los novelistas que vieron en él un modelo, lo superaron. No obstante, el gran éxito de sus novelas indias, exactas en las descripciones de la naturaleza, realistas al describir las costumbres de los salvajes, fué estímulo no pequeño para los novelistas de la América española, que intentaban incorporar iguales elementos a la literatura.

Quizá la razón principal del escaso influjo de Cooper en las creaciones de los hispanoamericanos está en su actitud ante el

1. *Facundo,* edic. cit., págs. 94-96.
2. Introducción de *La novia del hereje,* Buenos Aires, 1917.
3. Véase edic. de 1887, I, 15.
4. *La Patria* (Revista de Bogotá), 1877, pág. 63.

indio. Siempre lo presenta como algo extraño al colono europeo y, lo que es peor, sin posibilidades de fusión. Este sentimiento aparece expresado con frecuencia por Leatherstocking, más o menos, en estas palabras:

> I am white, have a white heart, and can't in reason love a redskinned maidem who must have a redskin's heart and feelig [1].

En su bello libro *Primer mensaje a Hispanoamérica* [2] Waldo Frank ha comentado esta actitud como obstáculo en la formación del verdadero ideal americano en los Estados Unidos:

> Consideraban al indio —dice de los puritanos— como una parte del elemento físico selvático que tenían que vencer o hacer desaparecer por la inteligencia o por la fuerza. No había manera de pensar en relaciones emocionales ni en unión física con ellos. ¿A qué se debía esto? A mi parecer, la razón está enraizada en el separatismo del *pioneer* británico. El católico español vino a América sin esa clase de prejuicio. Formaba parte de una comunidad que, en su país, integraba un conjunto. Favorecía por tanto el ensanchamiento de ese conjunto, incluyendo en él a todos los hombres cualquiera que fuese su color. Además, poseía la fácil, la natural actitud del hombre meridional en lo que se refiere al sexo [3].

Creemos que George Sand exagera al interpretar la actitud de Cooper ante el indio, atribuyendo al novelista el designio de cantar "une noble race exterminée, une nature sublime devastée" [4].

Según la poética interpretación de la autora de *Lelia,* la conquista de la civilización en los dominios vírgenes de América había saturado a Cooper de una "solemne tristeza". Ante el espectáculo de la destrucción de estas tribus primitivas, el novelista tenía que llamar en su ayuda todos los razonamientos sociales y patrióticos para no maldecir la victoria del hombre blanco y no llorar la expoliación y destrucción cruel del hombre rojo.

---

1. *Deerslayer,* Putnam, New York, s. a., pág. 132.
2. *Revista de Occidente,* Madrid, 1930.
3. Frank, *Ob. cit.,* págs. 87-88.
4. G. D. Morris, *Fenimore Cooper,* Paris, 1912, pág. 51.

En esta apreciación está implícita la verdadera actitud de Cooper ante el problema. Si en sus novelas, y especialmente en *The last of the Mohicans,* se descubre, no una tristeza solemne, pero sí cierto matiz melancólico ante la destrucción del hombre rojo, razones sociales y patrióticas lo convencen de que esa destrucción es inevitable en la obra civilizadora, y no llega a maldecir al hombre blanco, y menos a llorar el absoluto vencimiento del indio, como lo llora Garcilaso el Inca en la primera parte de sus *Comentarios.*

El tipo de novela de aventuras que cultiva Cooper no fué imitado por nuestros autores de novelas indianistas, quienes daban cabida con preferencia en sus obras al amor y al sentimiento de la Naturaleza. Los indios de Cooper, como no son mestizos, jamás representan conflictos psicológicos, como el de Atala, para los cuales era Cooper temperamentalmente opuesto; sus indias, con excepción de Watah-Wah, en *Deerslayer,* de risa melódica y a ratos noblemente impulsiva, tampoco tienen la fuerza sentimental que predomina en las indias de las novelas hispanoamericanas.

La naturaleza, en Cooper, tiene siempre carácter de panorama, de espectáculo, sin las relaciones con el hombre que aprendieron los hispanoamericanos en Rousseau y Chateaubriand. Su naturaleza, impregnada de la bondad e inmensidad de Dios, sólo le sugiere reflexiones religiosas y moralizantes.

Sus indios son la visión más realista que hemos tenido de la raza roja en la época romántica, y el hispanoamericano se entusiasmó ante el indio quimérico idealizado.

Por estas razones, Hispanoamérica admiró la obra de Cooper, sin sentir el impulso irresistible que, partiendo de la emoción que incita el modelo, nos lleva, a pesar nuestro, por caminos semejantes.

8. — Humboldt

A los estímulos extranjeros ya apuntados en el desarrollo de los elementos que integraron la novela indianista hay que sumar a Humboldt y Walter Scott.

La trascendencia del viaje de Humboldt a la América hispana y de las obras que recogen sus experiencias en nuestro continente, ha sido estudiada por Carlos Pereyra [1]. Humboldt dedicó su personalidad de sabio y su sensibilidad de artista al estudio de la realidad de América: montañas, volcanes, selvas, ríos y valles; flora y fauna, tipos raciales. Influencias lejanas de Rousseau y Saint-Pierre habían llegado a él a través de la literatura descriptiva de Jorge Forster, pero su estilo —producto de la observación sagaz del sabio y el don lírico que embelleció su obra— es único en su siglo, y en Hispanoamérica formó escuela de prosistas.

Ya la presencia del sabio, el entusiasmo con que se aplicó a sus investigaciones, fué una fuerte llamada hacia la valoración cabal de nuestra naturaleza. Americanismo objetivo y eficaz que se expresaba treinta años antes de que Echeverría escribiera su manifiesto literario en la Argentina.

Humboldt, con sus obras *Espectáculos de la naturaleza* (1808) y *Cosmos,* cuyos cinco volúmenes aparecieron de 1845 a 1862, influye en el desarrollo del sentimiento del paisaje; *Vistas de las cordilleras y monumentos de los pueblos indígenas de América* elabora dos elementos esenciales: el paisaje y el tema indígena.

Toda la literatura descriptiva de nuestra naturaleza escrita después de 1810 hasta 1880 lleva más o menos marcada la huella de Humboldt. El recuerdo de Humboldt, la alusión al "Homero de los Andes" se hace inevitable.

A los autores ya mencionados en la creación de nuestra prosa —Sastre, Alberdi, Sarmiento, Miguel Cané, Vergara y Vergara—, en quienes el dilettantismo científico subraya solamente la descripción literaria, habría que sumar los que como Andrés Bello y el sabio colombiano de trágica muerte, Francisco J. de Caldas (1771-1816), aprendieron de Humboldt a equilibrar la observación científica y una emoción contenida, una elegancia discreta.

El caso de Bello es bastante conocido hasta sus últimas consecuencias: su intento de llevar a la poesía los mismos procedimientos de la prosa humboldtiana.

La prosa de Caldas, menos divulgada, es un excelente ejemplo de emulación, donde por instantes se consiguen los efectos estilísticos del sabio alemán. Así en la descripción de la vegetación de los Andes:

---

1. *Humboldt en América,* Madrid, Editorial América, s. a.

> Si los hombres son diferentes, la vegetación de los Andes parece que toca en los extremos. En el corto espacio de veinte leguas halla el botánico observador plantas análogas a las de Siberia, plantas semejantes a las de los Alpes; la vegetación de Bengala, y la de la Tartaria septentrional.
>
> La altura de los árboles crece en razón inversa de la elevación del suelo en que nacen. En las costas son colosales, y los diámetros enormes; los troncos, derechos, perpendiculares, y dejando entre sí grandes espacios vacíos. Las lianas abundan en extremo. Maromas, cables semejantes a los de un grueso navío, bajan y suben, unas veces perpendiculares, otras envolviéndose espiralmente alrededor de los troncos. Las palmeras, estos orgullosos individuos de las selvas inflamadas, levantan a los aires sus copas majestuosas.
>
> Por todas partes vemos el junco al lado de la rosa; la grama, con la encina, el cardo y el tomillo; los aromas mezclados con las exhalaciones mortales; el antídoto con el veneno, lo grande y lo pequeño, lo bello y lo horroroso, lo estéril y lo fecundo; la dilatada duración y los momentos. Concluímos que las plantas se han esparcido sobre la superficie de los Andes sin designio, y que la confusión y el desorden reinan por todas partes. Pero no juzguemos de la naturaleza por sus primeras impresiones; no la calumniemos antes de penetrar más en su santuario augusto. Acerquémonos, observemos, midamos, antes de decidir sobre materia tan importante [1].

Y es otra vez Rodó [2] quien sintetiza bellamente la significación de Humboldt en la interpretación de la naturaleza americana, contrastándolo con Chateaubriand:

> Humboldt y Chateaubriand convertían casi simultáneamente la naturaleza de América en una de las más vivas inspiraciones de cuantas animaron la literatura del luminoso amanecer de nuestro siglo: el uno, por el sentimiento apasionado que tiende sobre la poética representación del mundo exterior la sombra del espíritu solitario y doliente; el otro, por cierto género de transición de la Ciencia al Arte, en que amorosamente se compenetran la observación y la contemplación, la mirada que se arroba y la mirada que analiza.

---

1. FRANCISCO J. DE CALDAS, *La vegetación de los Andes*, en «Literatura americana», de Martín Coronado, edic. cit., págs. 215-217.
2. *Juan María Gutiérrez y su época*, en «El mirador de Próspero», edic. cit.

Otro aspecto interesante de la obra de Humboldt es su visión del indio. Tímidos y desconfiados, envueltos en "impasibilidad misteriosa", los ve ya como un problema, a causa de su abatimiento e ineptitud para incorporarse a los movimientos sociales. Adelanta una hipótesis para explicar este retraimiento abúlico en el hecho de haberse mantenido los indígenas aislados de los blancos por la lengua y las costumbres desde mucho antes de la Revolución [1].

Está aquí el boceto del indio como problema social que los novelistas románticos no llevaron a sus libros hasta finalizar el período; marginalmente, por Juan León Mera; de un modo enérgico y definido, por Clorinda Matto de Turner.

9. — Walter Scott

La difusión de Walter Scott en lengua española comienza en 1823, cuando Blanco White traduce y publica en su periódico "El Mensajero de Londres" unos fragmentos de *Ivanhoe* [2].

Esta influencia alcanza su máxima intensidad en España en 1832, año de la muerte de Scott. Las imitaciones, que comienzan con *Gómez Arias* (1828), de Trueba y Cossío —escrita originalmente en inglés—, llegan a una aproximación al modelo en *El doncel de D. Enrique el doliente* (1834), de Larra, y *El señor de Bembibre* (1844), de Gil Carrasco.

En Hispanoamérica las traducciones españolas de Scott comienzan a circular al mismo tiempo que en España. La primera traducción de *Ivanhoe,* publicada por Achermann en 1825, aparece simultáneamente en los establecimientos que este impresor tenía en Londres y en México. Lo mismo ocurre con *El talismán* (1826).

De acuerdo con la lista de traducciones españolas de Scott, ordenada por Churchman y Peers, México fué la zona principal de la difusión del novelista escocés. Allí se publican en forma

1. Carlos Pereyra, *Ob. cit.,* pág. 204.
2. Véase Churchman, Ph. H., y E. Allison Peers, *A survey of the influence of Sir Walter Scott in Spain,* New York-París. Tirada aparte de «Revue Hispanique», 1922.

dramática *La dama del lago* (1833), adaptación que fué representada en el Teatro Nacional, y *Lucía de Lammermoor* (1841), representada en el Teatro de la Ópera Italiana. Las traducciones de *Guy Mannering*, por E. de Ochoa, y del *Castillo peligroso*, por A. Mata, también se anuncian simultáneamente, en 1840, en París y en las librerías de Rosa y Galván, en México. Una versión de *El abad*, sin fecha, se imprime en París y México.

Otras dos traducciones de Scott hechas en Hispanoamérica anota Peers: *El cuarto entapizado*, por Juan Muñoz y Castro (La Habana, 1838), y otra adaptación dramática de *Lucía de Lammermoor*, Lima, 1841.

A pesar de ser Scott tan leído por las gentes cultas de Hispanoamérica, su influencia en la novela es escasa, a causa de la falta de disciplina artística de aquellos que lo tomaron por modelo. Las novelas históricas hispanoamericanas más conocidas, publicadas desde 1846 —*Amalia de Mármol* (1851), *El Inquisidor mayor*, de Bilbao (1852), las novelas del mexicano Riva Palacio (1832-1876)—, son más bien imitaciones de Dumas, Sué y Fernández y González que de Scott, muy inferiores en estilo y por su carácter folletinesco a las mejores imitaciones españolas de Larra y Carrasco, por ejemplo. Ninguno sabe mezclar lo histórico y lo novelesco de la manera eficaz con que lo hacía Scott.

El caso del argentino Vicente Fidel López es característico. En el prólogo de su novela *La novia del hereje*, que se publicó en Chile como folletín en 1846 y se imprime en Buenos Aires en 1854, teoriza sobre la novela histórica, recuerda su propósito juvenil —que no realizó— de imitar a Scott y Cooper en una serie de novelas que evocarían los principales períodos de la historia argentina. Y no obstante, *La novia del hereje* que intenta reconstruir la Lima colonial, es melodramática, con frecuencia vulgar, excesiva en las descripciones y en los detalles históricos. Sólo en un episodio —la descripción de un concilio en Lima— está logrado el color local de manera feliz.

En las novelas indianistas, Scott influye especialmente en las basadas en la conquista de México y Yucatán. La Avellaneda, aficionada a Scott desde su adolescencia [1], vive en Madrid en la época

1. Véase el prólogo a *Obras literarias*, de la Avellaneda, Madrid, Rivadeneyra, 1869.

en que el novelista escocés es más admirado, y ve aparecer las imitaciones de Larra y Gil Carrasco. El deseo de emularlos la llevó a escribir su novela *Guatimozín*. Pero ni la Avellaneda, ni Ancona, ni Palma consiguen vencer las dificultades de la novela histórica tal como la realizó Sir Walter. Logran detalles, nunca el conjunto.

CAPÍTULO III

EL INDIANISMO EN LA REVOLUCIÓN

La América en armas ofrece en su literatura una homogeneidad perfecta. Literatura civil, ya recuerde en las proclamas de Bolívar el verbo de los revolucionarios franceses, ya adquiera entonación pindárica o quintanesca en la poesía.

Tres sentimientos fundamentales dominan en esta literatura: antiespañolismo, asimiento a la tradición indígena —principalmente al incario— y optimismo exultante acerca del futuro de América. Muchos de los directores de la rebeldía fueron hombres "de pluma y espada" que equilibraron su arte y su vida en perfecta adecuación: románticos soldados, como el mexicano Quintana Roo, o forjadores de armas, como Esteban de Luca, quien "de Vulcano mejorando el arte", como dice él mismo en uno de sus versos, forjaba espadas y cañones en el primer arsenal de Buenos Aires para el ejército revolucionario.

En la expresión del sentimiento antiespañol se subrayan las crueldades de la Conquista y los errores del Gobierno de España en América. Los españoles son "el vil invasor", "tigres sangrientos", "el déspota insolente".

Borrando de un trazo la tradición hispana, sólo quedaba la indígena, y a ella volvieron con entusiasmo infantil los heroicos guerreros de la Independencia.

El indio fué, pues, motivo patriótico que, como ha observado Ricardo Rojas [1], se prende tan hondamente en la conciencia de la época, que de alegoría poética se convirtió en programa político de aquellos revolucionarios que después de 1814 soñaron con la

1. *Los coloniales*, Buenos Aires, Roldán, 1924, II, 239.

restauración del trono de los Incas como una de las posibles formas de gobierno.

Desde Bolívar al poeta más humilde, la fascinación dorada del incario ejerció su utópico hechizo. Así Bolívar, y todos con él, en momentos de lírica exaltación patriótica, vieron en la independencia hispanoamericana, la restauración de los derechos indígenas.

> La mano bienhechora del ejército libertador —dice Bolívar—[1] ha curado las heridas que llevaba en su corazón la patria, ha roto las cadenas que había remachado Pizarro a los hijos de Manco Capac, fundador del Imperio del Sol, y ha puesto a todo el Perú bajo el sagrado régimen de sus antiguos derechos.

A su entrada triunfal en Arequipa, el 10 de mayo de 1825, llama a las jovencitas que lo saludan: "¡Hijas del Sol!" Y en su proclama a los peruanos, el 13 de agosto de 1824, los enardece con esta promesa:

> Bien pronto visitaremos la cuna del Imperio peruano y el templo del Sol. El Cuzco tendrá en el primer día de su libertad más placer y más gloria que bajo el dorado reino de sus Incas.

La utopía incaica es un tema capital en *La victoria de Junín*, de Olmedo, cuyo entusiasmo le hace mezclar lo cristiano y lo incaico en forma tan inconciliable, como cuando dice a Bolívar:

> Tú la salud y honor de nuestro pueblo
> serás viviendo, y ángel poderoso
> que lo proteja, cuando
> tarde al empireo el vuelo arrebatares,
> y entre los claros Incas
> a la diestra de Manco te sentares.

Detalles como ése y la sabiduría anacrónica que atribuye a Manco Capac hieren el sentido estético de Bolívar, quien le escribe:

1. Discurso pronunciado ante el Congreso de Lima el 10 de febrero de 1825. Véase *Discursos y proclamas de Bolívar,* Paris, Garnier, s. a., pág. 85.

> Con las sombras de otros muchos ínclitos poetas se hallará más inspirado que por el Inca, que a la verdad, no sabría cantar más que yaravíes [1].

Fundían inconscientemente estos poetas el mito apolíneo y el incaico. Lima se convierte en Heliópolis, los peruanos en hijos de Febo, el dios de la patria se vuelve dios del verso y de Delos [2].

Hasta un poeta contenido y sabio como Andrés Bello (1781-1865) no puede evitar el tema indianista. En su *Alocución a la poesía* [3] ilustra la forma más elevada del patriotismo continental. Se complace, con nostalgia arcádica, en evocar los indios colombianos en inocencia venturosa "antes que extranjera nave las apartadas costas visitara". Evoca los mitos de Nenquetaba y Manco Capac también en tono antiespañol:

> No largo tiempo usurparía el Imperio
> del Sol la hispana gente advenediza,
> ni al ver su trono en tanto vituperio
> de Manco Capac gemirán los manes.

Al final del poema, la nota optimista:

> Florecerán la paz y la abundancia
> en tus talados campos: las divinas
> Musas te harán favorecida estancia
> y cubrirán de rosas tus ruinas.

Excepción importante ante lo indio en esta época es José María de Heredia (1803-1839), quien a los diez y siete años compone su meditación *En el teocalli de Cholula.* Poesía es ésta que en nuestra lengua sólo puede compararse con la elegía *A las ruinas de Itálica,* de Rodrigo Caro. Siguiendo la misma línea de pensamiento de Caro, ve, sumido en la contemplación, "la pompa de los reyes aztecas, su vil superstición y tiranía", la soberbia grandeza que vió la Pirámide, hoy desierta. El ardor romántico de Heredia en este bello poema se estremece contenido por la elegancia clásica de los versos y la sugestión del modelo.

---

1. Carta de Bolívar a Olmedo, *Repertorio americano,* Costa Rica, III, 147-149.
2. ROJAS, *Los coloniales,* edic. cit., pág. 941.
3. GHIRALDO, *Antología americana,* Madrid, Renacimiento, III, 64-78.

Pero si esta actitud contemplativa constituye a Heredia en excepción, no escapa el poeta a la simpatía incaica, y en su *Himno al Sol* llora el vencimiento de los Incas:

> ¡Oh dulcísimo error!, ¡oh Sol! Tú viste
> a tu pueblo inocente
> bajo el hierro inclemente
> como pálida mies gemir segado [1].

El único poeta que expresó lo indígena en un tono lírico que anticipa el romanticismo fué el peruano Mariano Melgar (1796-1815). Escribe yaravíes, imitando la poesía indígena, y acierta a traducirla mucho mejor que sus continuadores en el Perú durante el romanticismo.

Las escasas piezas dramáticas de este período reproducen los sentimientos de la época de modo menos caluroso a causa de la torpeza de los autores incipientes. Así la tragedia *Sugamuxi* (1826), del colombiano Luis Vargas Tejada (1802-1829), y los dramas *Lautaro* y *Camila o la patriota de Sudamérica*, del chileno Camilo Enríquez (1769-1825). Este último, escrito en prosa, se desarrolla entre los indios omaguas, cuyo cacique, educado en los Estados Unidos, es un perfecto civilizado [2].

---

1. José María de Heredia, *Poesías líricas*, Paris, Garnier, s. a., pág. 255.
2. El drama aparece en la *Antología* de Ghiraldo, edic. cit., I, 214-246.

CAPÍTULO IV

ANTECEDENTES EN LA POESÍA Y EL DRAMA ROMÁNTICOS HASTA 1846

Durante los primeros años de vida independiente, encontramos pocas manifestaciones de literatura indianista. La novela no aparece aún, las escasas poesías repiten los temas y sentimientos de la época revolucionaria o empiezan a utilizar lo indígena como elemento meramente decorativo.

En este período, no obstante, Esteban Echeverría (1805-1851), con sus obras y sus teorías americanistas, verdaderos manifiestos románticos, prepara el camino al advenimiento de la época más intensa del indianismo. Pues fué éste uno de los caminos por donde los escritores de la segunda mitad del 800 buscaron la expresión de americanidad.

La primera composición que encontramos es *En boca del último Inca*[1] (1835), del poeta neogranadino José Eusebio Caro (1817-1853)" El último Inca habla preso en estrofas sáficas. Caro presenta en él a un rebelde que prefiere morir antes de llevar la marca del esclavo. El poeta recuerda con melancolía el trono profanado de Manco Capac, insinuando así la evocación sentimental.

En 1834 había publicado Esteban Echeverría[2] su libro *Los consuelos*. Estas poesías, primera manifestación romántica en la América hispana, derivada de un contacto directo y personal con el romanticismo europeo, tienen un prólogo que precisa los caminos que a juicio del autor debe seguir la poesía americana:

1. *Parnaso colombiano*, edic. de Julio Áñez, Bogotá, 1886. págs. 65-66.

2. Véase *Noticias biográficas de D. Esteban Echeverría*, por Juan María Gutiérrez, al frente de *Dogma socialista*, Buenos Aires, Cultura Argentina, 1928.

> La poesía entre nosotros aún no ha llegado a adquirir el influjo y prepotencia moral que tuvo en la antigüedad y que hoy goza entre las cultas naciones europeas; preciso es, si quiere conquistarla, que aparezca revestida de un carácter propio y original, que, reflejando los colores de la naturaleza que nos rodea, sea a la vez el cuadro vivo de nuestras costumbres y la expresión más elevada de las ideas dominantes, de los sentimientos y las pasiones que nacen del choque inmediato de nuestros sociales intereses, y en cuya esfera se mueve nuestra cultura intelectual. Sólo así, campando libre de los lazos de toda extraña influencia, nuestra poesía llegará a ostentarse sublime como los Andes, peregrina, hermosa y varia en sus ornamentos, como la fecunda tierra que la produzca [1].

Este programa de *Los consuelos* se completa con las observaciones del largo apéndice, que, refutando los puntos de vista de Alcalá Galiano sobre literatura de Hispanoamérica, publicó Echeverría detrás de su *Ojeada retrospectiva sobre el movimiento intelectual del Plata desde el año 37,* Montevideo, 1846.

En esas páginas, Echeverría expone las ideas dominantes entonces sobre España, las causas de la pobreza de la literatura hispanoamericana, la admiración por los Estados Unidos y lo que aspira a ser el arte americano. Rechaza la opinión de Alcalá, que atribuye la mediocridad de este arte al hecho de haber los hispanoamericanos "renegado de sus antecedentes y olvidado su nacionalidad y raza". Echeverría, como todos los de su época, conserva el antiespañolismo encendido en la Revolución, y cree que América no debe buscar en España, "ni en nada español, el principio engendrador de su literatura" [2]. Considera la tradición colonial incompatible con el principio democrático Éste es el criterio de los intelectuales hispanoamericanos hasta las últimas décadas del pasado siglo.

Hacia 1872 comienza la reacción de simpatía hacia España con Juan Montalvo, Enrique José Varona y, en poesía, Zorrilla de San Martín.

---

1. MIGUEL LUIS y GREGORIO AMUNÁTEGUI, *Juicio crítico de algunos poetas hispanoamericanos,* Santiago de Chile, Imp. Ferrocarril, 1861, pág. 251.
2. *Ojeada retrospectiva,* reimpreso en *Dogma socialista,* edic. cit.

Pero el error de la actitud de Echeverría no fué visto con toda claridad hasta los escritores modernistas.

En su ensayo *La tradición hispanoamericana*[1], José Enrique Rodó, refiriéndose a la escisión radical entre la tradición hispánica y el desenvolvimiento liberal, penetra en el corazón del problema y resuelve cuál debe ser el nexo que nos una al pasado colonial:

> ¿No pudo evitarse una escisión sino al precio de renunciar a incorporarse, con firme y decidido paso, al movimiento del mundo? A mi entender, pudo, y debió evitarse en gran parte, tendiendo a mantener todo lo que en la herencia del pasado no significara una fuerza indomable de reacción o inercia, y procurando adaptar, hasta donde fuese posible, lo imitado a lo propio, la innovación a la costumbre.

El principio capital que repite Echeverría en la réplica a Alcalá Galiano, punto de partida de los autores indianistas de nuestro romanticismo, es que el arte americano "debe buscar en las profundidades de la conciencia y el corazón el verbo de una inspiración que armonice con la virgen naturaleza americana".

Su poema *La cautiva* (1837) es una demostración de este credo artístico. En la primera y segunda parte aparecen los indios pamperos, crueles, esforzados, como los describe Centenera. La literatura posterior no logra superar la pintura de estos salvajes, que contrastan con la descripción de la llanura ilímite, silenciosa, que precede. Es la vuelta del *malón,* la victoria sobre el blanco. Los salvajes pasan a caballo, hendiendo el espacio, atronando el desierto con sus alaridos, levantando sus lanzas, donde van clavadas las cabezas de sus víctimas.

Los críticos han creído descubrir en *La cautiva* la influencia de Chateaubriand[2]. Leyendo atentamente el poema sólo encontramos una reminiscencia indiscutible del autor de *Atala.* La melancolía en *La cautiva* es muy otra que la del poema francés. La melancolía, en nuestro caso, no es impuesta por el alma al paisaje,

1. RODÓ, *El camino de Paros,* Cervantes, Barcelona, 1928, págs. 20-21.
2. Véase Daireaux, pág. 71, y Wagner, pág. 25, en las obras citadas en la Bibliografía al final.

sino estimulada desde afuera, nacida del paisaje mismo, cuya influencia en el hombre argentino apuntó ya Sarmiento en *Facundo*.

En Chateaubriand piensa indudablemente el poeta cuando, al describir a Brian y María cruzando un arroyo, dice:

> Aran la corriente unidos,
> como dos cisnes queridos
> que huyen de águila cruel [1].

Chateaubriand había escrito:

> Quand nous rencontrions un fleuve, nous le passions sur un radeau ou a la nage. Atala appuyait un de ses mains sur mon épaule, et, comme deux cygnes voyageurs nous traversions ces ondes solitaires [2].

Entre las poesías del libro que el cubano Gabriel de la Concepción Valdés publicó en Matanzas (1838) está el romance *Xicotencatl*. Describe la entrada de este guerrero en Tlaxcala, después de haber vencido a Moctezuma. El exotismo de la brillante tradición mexicana y el bello gesto de Xicotencatl perdonando a los vencidos, son los dos elementos poéticos que aprovecha Plácido. Tema americano vertido en la forma poética más española: persistencia de lo español, a pesar de la voluntad literaria de la época.

En un romance canta también el uruguayo Adolfo Berro (1819-1841) el episodio de Yandubayú y Lirompeya [3], desempolvado de la crónica de Centenera. Revive este romance en la literatura romántica el tipo de india apasionada que ideó Ercilla. El episodio está situado en 1574, cuando uno de los soldados de Juan de Garay, llamado Carvallo, conoce a la princesa guaraní:

> Siguiendo va por un bosque
> del Paraná renombrado,
> a Yandubayú, cacique,
> el sanguinario Carvallo.

El romance reproduce con toda exactitud la versión de Cen-

1. *La cautiva,* Buenos Aires, L. J. Rosso, s. a., pág. 76.
2. *Atala,* Paris, Garnier, s. a., pág. 36.
3. Véase Adolfo Berro, *Poesías,* Montevideo, 1842.

tenera: idealización de los amores de Lirompeya y Yandubayú; embellecimiento de Lirompeya, "del Paraná, rica perla que guarda el bosque callado", y la muerte trágica de los enamorados.

Después de esta poesía, la tradición indianista reaparece en los poemas *Profecía de Guatimoc* y *Visión de Moctezuma,* del mexicano Rodríguez Galván (1816-1842). Inicia Galván en la primera otro matiz de la vuelta al indio: la idealización de las grandes figuras indígenas, no para subrayar la crueldad de la Conquista, sino para contrastar la América por ellos dominada, "noble y valientemente", con el caos social y político de la américa emancipada:

> Hoy de las aves de rapiña y lobos,
> que ya su seno y corazón desgarran [1].

Matiz que perdura en Rubén Darío, cuando en su poema *A Colón* [2] escribe:

> Ellos eran soberbios, leales y francos,
> ceñidas las cabezas de raras plumas.
> ¡Ojalá hubieran sido los hombres blancos
> como los Atahualpas y Moctezumas!

Rodríguez Galván conjura a Guatimoc, y el rey llega revestido de sus insignias, pero mostrando las plantas quemadas, los grillos y el dogal. Recuerda el poeta entonces a Cortés, "bárbaro y crudo". Guatimoc llora la caída de su imperio, pero luego profetiza la invasión de México por "guerreros viles" de Europa y de la América sajona, y —paradoja extraña— viendo la patria indefensa, repite dos veces: "¿Dónde Cortés está?, ¿dónde Alvarado?"

En la leyenda en prosa y verso *La visión de Moctezuma* [3], el espectro de una anciana, *Nolixtli,* a quien Moctezuma ha robado a su hija, se aparece al rey y le profetiza la llegada de los españoles.

Los temas incaicos y aztecas se dramatizan en este período. La nobleza de Guatimozín y sus hazañas son el asunto de la tra-

---

1. GHIRALDO, *Ob. cit.*, IV, 243 a 254.
2. DARÍO, *El canto errante,* Madrid, Mundo Latino, 1918, págs. 27-30.
3. RODRÍGUEZ GALVÁN, *Obras,* México, Barbedillo, 1876, págs. 325-345.

gedia *Guatimoc* o *Guatimozín,* publicada en París, en 1827, por Fernández Madrid. Realza la figura del soberano azteca y, como contraste, la crueldad española. Al referirse a los españoles, el apelativo de tigres se repite hasta la obsesión. Guatimoc, en el acto cuarto, escena tercera [1], apostrofa a Alderete:

> Ven, pues, a libertarnos con la muerte
> del suplicio horroroso que nos causa
> el escucharte, tigre carnicero.
> ¡Sí, tigres! ¡Hijo mío, esposa cara!
> ¿Dónde estáis?, ¿dónde estáis? ¡Acaso, dioses,
> ahora se hallarán entre las garras
> de los tigres!

Por estos versos puede juzgarse la mediocridad de la obra, que interesa solamente como documento histórico en la evolución de los temas indígenas. Hablando con Tizoc, Guatimoc profetiza la venganza que tomarán los futuros hijos de los conquistadores haciendo renacer el "imperio" de Moctezuma. Nota oportunista para halagar la sensibilidad del momento, sobre todo a Bolívar, a quien Fernández Madrid dedica la tragedia. *Guatimozín,* que volvió a editarse en Londres, en 1828, y en Madrid, en 1835, ilustra la persistencia de los temas de la Revolución en la literatura inmediata. Escrito en endecasílabos, y con sujeción a las unidades clásicas, es, por lo excesivo de los sentimientos, una obra romántica.

El tema incaico aparece en los dramas *La sacerdotisa del sol,* del cual nos hemos ocupado en el segundo capítulo de este trabajo, y *Atahualpa,* del peruano Carlos Augusto Salaverry (1813-1840).

La pieza dramática más interesante de este período es *El charrúa* del uruguayo Pedro P. Bermúdez (1816-1860). Se escribe en 1842 y se publica en 1853. Bermúdez amplía la leyenda de Adolfo Berro dándole un carácter de lucha patriótica entre indios y españoles. Yamandú aquí no podrá casarse con Liropeya hasta que los españoles sean expulsados. La raza charrúa está en primer término. El charrúa de Bermúdez es menos poético que el de Zorrilla de San Martín, pero más viril, más dinámico y rebelde.

El aspecto físico, las costumbres y valentía de esta tribu, los describe así Bermúdez:

---

1. FERNÁNDEZ MADRID, *Obras,* edic. cit., pág. 231.

Iba en el crinado potro
recorriendo la campaña,
cruzando ríos y arroyos
y bosques, y hondas quebradas;
siempre respirando bríos,
siempre vomitando saña,
siempre blandiendo su pica,
siempre soñando venganza [1].

Los diferentes matices de la novela indianista romántica están en estos precedentes: el tema histórico de la conquista; antiespañolismo y evocación de personajes indígenas, como ejemplo cívico; la idealización nostálgica de los indios, el amor exaltado.

---

1. ROXLO, *Historia de la literatura uruguaya,* Montevideo, Barreiro y Ramos, 1912, II, 308-316.

NOVELAS HISTÓRICAS

CAPITULO V

LAS NOVELAS INDIAS DE LA AVELLANEDA

La novela hispanoamericana nace hacia 1840. Antes de esa fecha sólo se había escrito *El Periquillo Sarniento* (1830-1831), de José Joaquín Fernández de Lizardi, y novelas breves, sin valor literario, como las que incluímos en nuestra bibliografía de la novela indianista. *El Periquillo,* novela picaresca y didáctica, hubiera encauzado quizá nuestra novelística hacia la observación y la sátira social. Sin embargo, no formó escuela. El triunfo del romanticismo trajo el predominio de la novela histórica; la difusión de Scott y sus discípulos interrumpe el inicial germen costumbrista y, como en España por los mismos años, la atracción del pasado domina a novelistas y dramaturgos. La reconstrucción de episodios de la Conquista y de la época colonial son asuntos frecuentes. Sólo hay un caso de novela de historia contemporánea, la *Amalia,* de Mármol. El tipo de novela histórica, si bien el más difícil, colmaba la pasión de lejanía que inquietó a las generaciones románticas.

La América hispana, pues, se inicia en la novelística con la forma que ofrece dificultades casi invencibles. Novela en que están en colisión dos horizontes, según la expresión justa de Ortega y Gasset[1]: el horizonte imaginario y el histórico. Las mejores novelas históricas sólo consiguen a medias la adecuación de ambos horizontes; pecan por exceso de historia o por desvirtuación de la misma. Los inexpertos cultivadores del género en nuestra América cayeron con más frecuencia en lo excesivo histórico, aunque no faltan casos del otro error.

Los primeros ensayos son evocaciones de la Conquista: *Gon-*

1. *La deshumanización del arte,* Madrid, «Revista de Occidente», 1925, pág. 135.

zalo Pizarro (1839), del peruano Manuel Asensio Segura (1805-1871), juzgada como "novelita sin importancia" por Ventura García Calderón [1].

El uruguayo Manuel Luciano Acosta escribe *La guerra civil entre los Incas.* La lucha civil entre Huáscar y Atahualpa aparece en ella novelada por primera vez en lengua española. José E. Rodó, en su artículo *Arte e historia,* a propósito de *La loca de la guardia,* de Vicente Fidel López, menciona la novela de Acosta como "una estimable narración", y la sitúa cronológicamente antes de *La novia del hereje,* de López, publicada en folletín en Chile en 1846.

Ventura García Calderón y Hugo D. Barbagelata [2] se refieren a las novelas de Acosta, juzgándolas inferiores a las de Magariños Cervantes. Se escribieron todas, según estos críticos, durante el *Sitio grande* (1842-1851), aunque fueron publicadas después. *La guerra civil entre los Incas* se edita en Montevideo en 1861, de acuerdo con estos autores.

Las novelas de Gertrudis Gómez de Avellaneda (1814-1873) son un documento importante en el estudio de los orígenes del arte novelesco hispanoamericano. Cronológicamente se anticipan a las novelas escritas en Hispanoamérica: *Sab,* compuesta en Galicia entre los años 1836 a 1838, se publica en Madrid en 1841 y es, después de la obra de Fernández de Lizardi, la primera novela de algún valor literario escrita por autor hispanoamericano.

1. — "GUATIMOZÍN"

No merece la novela *Guatimozín* (1846) el desvío con que la trata su propia autora en la edición de sus obras impresas en Madrid por Rivadeneyra (1869-1871) al conservar solamente un capítulo. Está incluido en el tomo V de esa edición, con el título *Una anécdota de la vida de Cortés,* y es el que relata "la noche triste".

Guatimozín es una consecuencia natural del momento literario en que se escribe. Estimulaban a la Avellaneda los precedentes

1. *La literatura peruana,* en «Revue Hispanique», New York-Paris, 1914, pág. 369.
2. *La literatura uruguaya,* en «Revue Hispanique», New York-Paris, 1917.

de Espronceda y Larra en la novela histórica. Ella misma era una lectora del novelista escocés desde su adolescencia. En una lista de libros que en octubre de 1839 envió a Ignacio Cepeda le recomienda, en primer término, "al novelista más grande de su época", de quien dice poseer *El pirata, Los privados rivales, El anticuario* [1]. Junto con las novelas de Scott había leído a Chateaubriand, a quien describe "inmortal y divino".

La forma histórica y el tema indígena la atrajeron desde muy temprano. Pero no encontramos indianismo en sus poesías anteriores y posteriores a *Guatimozín*, con excepción de la tragedia *Hernán Cortés*, escrita a los doce años y no conservada por su autora. La conquista de Nueva España fué objeto de sus fantasías de niña, y a ella vuelve con ambiciosas miras en una de las épocas más atormentadas de su existencia. La composición de *Guatimozín* y las relaciones y rompimiento con Tassara, coinciden.

En 1844 había escrito los dos primeros tomos, según dice a Tassara [2] en un párrafo de autocrítica, en donde habla de los elogios que habían hecho de la obra Martínez de la Rosa, Gallego y Cárdenas. Añade que la ha escrito con esmero, después de una larga preparación de lecturas, para que pueda figurar "entre las buenas novelas históricas".

Tan entusiasta se sentía entonces por el libro, que en la misma epístola dice estar en tratos con Boix para publicarlo en edición de lujo.

Este proyecto no llegó a efectuarse, y la novela no aparece hasta 1846, simultáneamente, como folletín de "El Heraldo" y en la imprenta de D. A. Espinosa, Madrid.

Las fuentes principales de la Avellaneda son las *Relaciones de Cortés*, Bernal Díaz del Castillo —a quien corrige en varias ocasiones—, Antonio de Solís, Robertson y Clavijero. Entre todos aprovecha con más frecuencia a Bernal Díaz, a quien cita a cada paso en las notas y de quien toma un párrafo sobre la muerte de Cuauhtemoc para cerrar la novela.

La obra está dividida en cuatro partes. La primera comienza con una introducción a la manera de Scott, en donde nos informa

1. Véase COTARELO Y MORI, *La Avellaneda y sus obras*, Madrid, Tip. Archivos, 1930, pág. 46.
2. MÉNDEZ BEJARANO, *Tassara. Nuevo biografía crítica*, París, Imprenta J. Pérez Pasaje, 1928, págs. 42-43.

cómo Cortés afianzó su mando en la aventura de la Conquista, la alianza con Tlaxcala, su avance hasta México y situación del "imperio" de Moctezuma a su llegada. Termina con las proposiciones de Cortés a Moctezuma —quien está preso en los cuarteles españoles— para que se declare vasallo de Carlos V.

En la segunda parte la acción se apresura con la rebeldía de los mexicanos, la guerra al fin, muerte de Moctezuma y retirada de Cortés en la "noche triste". En la tercera, más rica de contenido novelesco, Guatimozín asume la dirección de la lucha y asciende al primer plano de interés en la narración. El ejército de Cortés, reforzado por tropas indígenas aliadas con él contra México, se encuentra al final del tomo tercero a vista de Tacuba y la autora lo cierra con este juramento de Cortés:

> Juro por Santiago que la bandera española que hoy milagrosamente hemos salvado ondeará dentro de un mes sobre la más alta torre de Tacuba.

En el tomo último, después de la derrota de Xochimilco, la conspiración de Villafaña y la muerte heroica de Xicotencatl, sigue la descripción del cerco de México, en que los españoles asedian con persistencia admirable y los mexicanos se defienden con heroica grandeza. Los dos últimos capítulos describen la prisión de Guatimozín y su martirio. El epílogo narra la muerte en la horca del noble prisionero con los príncipes Netzale y Coanacot. Muerte "injustamente dada" según la autora, quien cita en este pasaje el testimonio de Bernal Díaz del Castillo.

Aunque la Avellaneda es mucho más serena al juzgar la Conquista que los autores de la Enciclopedia, y aunque logra un retrato realista y hasta bello de Cortés, no oculta sus simpatías por los vencidos, y las páginas más interesantes son aquellas en que describe las costumbres y mitos de los mexicanos y la rebeldía de los príncipes indígenas: la descripción del palacio de Moctezuma, el torneo celebrado en honor de los españoles, la muerte de Cacumatzín, el heroísmo de Cuauhtemoc.

Hay un novelesco episodio amoroso entre Tecuixpa, hija de Moctezuma, y el capitán Velázquez de León. Tecuixpa, que en los primeros capítulos de la novela recuerda por su gracia juvenil a la Mila de Chateaubriand, se convierte en el tomo segundo en una

Atala, que, apasionada de Velázquez de León, a quien considera perdido, dice a su hermano:

> ¡El amor nunca se va! ¡Felices las que llevaron en su seno el fruto del fuego de su esposo, y cuando le siguen a la sepultura, dejan sobre la tierra los monumentos de su ventura! Pero yo seré la flor que se seca antes de dar el fruto; cuyas hojas esparcidas pisaron los amantes felices, sin conocer que también en ella hubo vida y calor [1].

Logró la Avellaneda contar poéticamente la historia de la conquista de México. Aunque no tan brillante en estilo como *La historia de la conquista de Méjico* por Solís, que es en realidad una hermosa novela histórica, completa en cierto modo la visión novelesca de esa conquista. Solís escribe el panegírico de Cortés; la Avellaneda hace sentida justicia a los vencidos.

Cotarelo y Mori [2] observa que los indígenas en este libro son demasiado refinados en sus sentimientos. Esta idealización es casi unánime en las novelas indias del romanticismo, que en ese aspecto recuerdan a los pastores de las novelas bucólicas del quinientos.

Guatimozín tuvo más ediciones que ninguna otra de las novelas indianistas. Se reimprimió en México, Imp. de J. R. Navarro, en 1853; en Valparaíso, Imp. del Mercurio, en 1847, y otra vez en México, en 1887. La tradujo al inglés Mrs. W. Blake, México, 1898.

2. — "El cacique de Turmequé"

La novela corta *El cacique de Turmequé* tiene de india el título y uno de los personajes, que no es indio puro, el mestizo don Diego de Torres, hijo de un conquistador y una princesa indígena de Nueva Granada. Utiliza esta vez la Avellaneda la obra del cronista Juan Rodríguez Fresle, *El carnero o conquista y descubrimiento del nuevo reino de Granada*, compuesta en el siglo XVII y publicada por Felipe Pérez en 1854.

La acción comienza en 1579 con la llegada a Bogotá del visitador Juan Bautista Monzón, quien trató de corregir los desórde-

1. *Guatimozín*, Madrid, Imp. de D. A. Espinosa, 1846, II, 140-141.
2. *Ob. cit.*, págs. 128-129.

nes de la magistratura, captándose así muchos enemigos, entre ellos el fiscal Alonso de Orozco. El elemento novelesco es Estrella, célebre belleza casada con un capitán español. Ligera e imaginativa, se enamora primero de Orozco y después del cacique. Orozco persigue a su rival; lo acusa de una falsa conspiración que obliga al príncipe indio a huir a España, después de escaparse de la prisión la víspera del día en que iba a ser ajusticiado.

El capitán esposo de Estrella va a España para vengarse de los dos amantes de su esposa, pero encuentra al fiscal loco y a don Diego sirviendo en las caballerizas reales, con lo cual se cree justamente vengado por el cielo.

La figura creada con más simpatía es la del mestizo:

> Elegante de talle, de negros y fulgurantes ojos, de tez ligeramente bronceada, pero admirable por su juvenil tersura. Profusa cabellera sombreada, prestándole gravedad melancólica, una frente altiva y espaciosa, hecha, al parecer, para ostentar una corona [1].

El cacique de Turmequé fué escrita en Cárdenas —Isla de Cuba—, en 1860. Se publicó por primera vez en el tomo V de las *Obras literarias,* edición Rivadeneyra, 1871, y aparece también en el tomo V de la *Edición nacional del centenario,* que anotamos en esta página.

La narración alcanza en ciertos pasajes algún interés, pero es muy inferior en estilo a *Guatimozín.*

1. *Obras de la Avellaneda: El cacique de Turmequé,* La Habana, Imp. de Aurelio Miranda, 1914, V, 754.

CAPÍTULO VI

LA LEYENDA DE LUCÍA DE MIRANDA EN LA NOVELA

La literatura argentina no ofrece en la época romántica ninguna obra indianista de subido valor literario. Los indios intervienen en los poemas *La cautiva, Santos Vega* y *Martín Fierro* como elemento secundario, y, sobre todo, en este último encontramos unos indios sórdidos y crueles hasta el horror del melodrama.

Fuera de estos poemas y algunas poesías líricas de tema indianista, como *Irupeya* y las *Flores de Lilpú,* por Juan María Gutiérrez (1809-1878), o la leyenda en verso *La flor de Yaquerí* (1877), por Josefina Pellizá, los indios aparecen en las versiones dramáticas, novelescas o poéticas de la leyenda de Lucía de Miranda.

1. — "Lucía de Miranda" y la crítica documental

La crítica histórica niega la existencia de Lucía de Miranda y de su esposo, Sebastián Hurtado, así como la de Nuño de Lara, comandante del fuerte de Sancti-Spiritus, según las versiones literarias de la leyenda. Martiniano Leguizamón, en un erudito estudio [2], ha demostrado la falta de historicidad del episodio basándose en las siguientes razones:

1.ª En la lista de oficiales de la expedición de Gaboto no figura

1. Véase la bibliografía que sobre esta leyenda y las obras que ha originado aparece inserta ante la edición del drama *Lucía de Miranda,* por Miguel Ortega, Buenos Aires, Imp. de la Universidad, 1926.

2. *La leyenda de Lucía de Miranda,* en «Revista de la Universidad de Córdoba», marzo 1919, año VI, núm. 1, págs. 3-11.

el nombre de Nuño de Lara; el capitán a quien dejó Gaboto al mando del fuerte fué Gregorio Cabo.

2.ª El amor de Mangoré por Lucía no fué la causa del asalto, sino la venganza, pues Caro había destruído las casas de varias familias indígenas.

3.ª Barco de Centenera, en su *Argentina,* no narra el episodio.

4.ª Los caciques atacantes del fuerte se nombran Areya y Bozen. Ni Siripo ni Mangoré figuran en los documentos de la época.

5.ª En las instrucciones que dió Carlos V a Gaboto antes de su partida, mandaba que "en la dicha armada no vaya ninguna mujer de cualquiera calidad que sea".

6.ª José Toribio Medina, en su estudio biográfico *Sebastián Gaboto,* I, capítulo VIII, reproduce la lista completa de los expedicionarios de Gaboto y califica de imaginarios los nombres que aparecen en el episodio, tal como lo narra Ruy Díaz en su *Argentina.*

Leguizamón concluye que la leyenda es una invención de Ruy Díaz, "sugerida por la historia del martirio de San Sebastián, que murió asaeteado".

Ricardo Rojas [1] se refiere a la leyenda con simpatía. El episodio, para él, ha de tener un núcleo de verdad. Cree posible que existieran amores como los descritos en la leyenda, aunque no fueran consignados en los documentos de la Conquista, que no recogían sucesos privados. Cuando la leyenda llegó a Ruy Díaz de Guzmán, acaso estaba ya deformada. Sobre todo, Rojas defiende a Ruy Díaz de la inculpación de haber forjado conscientemente una fábula.

2. — Versiones de la leyenda anteriores a la novela

La primera versión del episodio la escribe Ruy Díaz en el libro I, capítulo VII, de su *Argentina* (Asunción del Paraguay, 1612). Según Ruy Díaz, Gaboto deja el fuerte de Sancti-Spiritus al mando del capitán Nuño de Lara. Uno de los soldados —Sebastián Hurtado— es el esposo de la bella Lucía de Miranda, de quien está enamorado Mangoré, el cacique timbú. Éste ataca la fortaleza con

1. Rojas, *Los coloniales,* edic. cit., II, 725-26.

sus indios; en el *malón* mueren Nuño de Lara y los demás defensores del fuerte, y con ellos Mangoré. Su hermano Siripo, se aleja triunfante, llevándose a Lucía. Cuando Sebastián Hurtado, que había salido con varios hombres en busca de víveres, no encuentra entre las ruinas del fuerte el cadáver de su esposa, huye al bosque a rescatarla y es hecho prisionero por los indios y llevado ante Siripo. Lucía era ya esposa del cacique. Hurtado queda al servicio de Siripo, por estar cerca de Lucía. El cacique les prohibe comunicarse e invita a Hurtado a elegir mujer entre las doncellas indias. Pero los jóvenes no cumplen su promesa y son denunciados a Siripo. El cacique hace morir a Lucía en una hoguera en presencia de su esposo, que veía la escena amarrado al tronco de un árbol. En seguida el infeliz es asaeteado.

La idealización de Lucía en mártir de la castidad, fué obra de los cronistas posteriores: Lozano, Techo, y en la época de la Revolución, el Deán Funes, quien narra el episodio con excesivo dramatismo [1].

Después del *Siripo* de Labardén, la leyenda ha sido atracción de los escritores hasta la época contemporánea. Pero siempre con resultados poco felices. Por eso observa con humorismo Leguizamón que "la fatal beldad posee el don maléfico de achatar la inspiración de sus admiradores". Juan María Gutiérrez, en su estudio sobre Echeverría, menciona el plan de un drama histórico que el autor de *La cautiva* había ideado con el título de *Mangoré*. En el reparto, además de los personajes ya conocidos, añade Echeverría una gitana, disponiéndose así a dar cabida en su drama a otro tipo literario romántico. Pero el drama de Echeverría no se escribió, perdiéndose acaso la única ocasión de vencer el don maléfico de Lucía de Miranda. Los demás autores que han escrito sobre la leyenda aparecen en la bibliografía a que nos hemos referido al comenzar este capítulo.

Al pasar a la novela, el episodio lógicamente hubiera creado una obra anti-indianista. No obstante, tal fué la fuerza del indianismo en boga, que tanto Rosa Guerra como Eduarda Mansilla escriben una novela indianista: la primera idealizando a los timbúes, la segunda dando gran importancia a las costumbres, ritos y supers-

1. GREGORIO FUNES, *Ensayo de la historia civil de Buenos Aires, Tucumán y Paraguay*, Buenos Aires, 1856, I, 10.

ticiones indígenas, y ambas estilizando al cacique Mangoré hasta convertirlo en una anticipación lejana de Tabaré.

3. — La novela de Rosa Guerra

Noveló el episodio por primera vez la argentina Rosa Guerra (?-1894) [1]. En la advertencia al frente de la primera y única edición, la autora dice que escribió el libro para un certamen del Ateneo del Plata, que no se realizó, por lo que su trabajo quedó "sepultado en el olvido". Estaba ya escrita en 1858, como lo indica una carta de Miguel Cané a la autora, que incluye a manera de prefacio.

La dedicatoria, dirigida a una amiga de la novelista, nos da un detalle interesante. La autora dice que anticipa la publicación "a causa de estarse publicando otra novela con el mismo título y basada sobre el mismo argumento". Sin duda se refiere a *Lucía Miranda,* de Eduarda Mansilla, cuya primera edición se publicó por entonces. La dedicatoria es, además, un verdadero documento romántico, donde ingenuamente confiesa Rosa Guerra haber llorado leyendo la historia de Lucía, la cual cree verdadera. Y llorando también escribía los capítulos que iba componiendo con exaltación romántica.

El cacique Mangoré es el personaje masculino descrito con más amor. En lo moral, aparece idealizado según el modelo del caballero español más perfecto; en lo físico, según los fuertes, hermosos indios de Ercilla:

> Mangoré, cacique de los timbúes, a pesar de ser bárbaro, reunía en su persona toda la arrogancia de su raza, las bellas prendas de un caballero, y en su corazón, educado y cultivado espíritu por el trato de los españoles, había adquirido casi todas sus caballerescas maneras y fino arte de agradar.
>
> Tenía alta talla, y era de fuerte y nerviosa musculatura, sus formas esbeltas. Era Mangoré uno de esos tipos especiales entre los indios descritos por el célebre Ercilla en su *Araucana* [2].

---

1. Véase la noticia biográfica que sobre esta escritora da Rojas en «La literatura argentina», edic. cit., IV, 522.
2. *Lucía de Miranda,* Buenos Aires, Imp. Americana, 1860, págs. 2-3.

Describe a los timbúes como "gente mansa, dócil, accesible a la amistad y sensible al dulce placer de la vida". Sendos capítulos, el segundo y el tercero, describen a Lucía y Sebastián Hurtado. Al hablar de Lucía, la presenta como una de las mujeres de Balzac, pero su caracterización sólo conserva del novelista francés la edad, treinta años. Su manera de caracterizar es más bien la de Eugenio Sué, a quien también cita.

Descritos los tres personajes del triángulo Hurtado-Lucía-Mangoré, y expuestos los antecedentes de la fundación de Sancti-Spiritus, comienza la narración.

Siguiendo la tradición de Chateaubriand, introduce la autora a la naturaleza, dándole mucha más importancia que la que ha tenido en las novelas históricas examinadas anteriormente. El capítulo V describe las orillas del Paraná con tanto entusiasmo como lo hiciera Marcos Sastre, aunque con menos fortuna. Sigue el presagio de una tormenta, que no es más que el acorde con que prepara la autora la llegada de Mangoré, quien aparece de pronto ante Lucía, convertido en un Chactas refinado e impetuoso. El capítulo VI narra cómo Mangoré se apodera de un mensaje de Lucía para Hurtado —ausente en una expedición— pidiéndole protección contra las aspiraciones amorosas del cacique. El VII describe la venganza de Mangoré, el *malón* sangriento, que se desarrolla en medio de una tempestad. Mangoré huye a través de la furia de los elementos llevando a Lucía desmayada. Es alcanzado por Nuño de Lara, quien lo hiere mortalmente, cayendo muerto también él a causa de heridas que recibió en la defensa del fuerte. Mangoré vive lo bastante para pedir el bautismo y ser bautizado por Lucía.

La agonía del cacique se prolonga de manera inverosímil. Cuando al fin muere, Lucía se encuentra ante Siripo, quien súbitamente se enamora de ella y se la lleva a sus tolderías. Como la joven lo rechaza, urde un plan para matar a Hurtado, quien había venido a rescatar a Lucía. Hace posible una entrevista de ambos esposos. Cuando da la orden de muerte para Hurtado, Lucía se abraza a él. Entonces Siripo ordena la muerte para los jóvenes, que son primero asaeteados y luego llevados a la hoguera.

4. — "Lucía Miranda", por Eduarda Mansilla de García [1]

Debió escribir *Lucía Miranda* la señora Mansilla de García (1838-1892) hacia 1860, si es que la alusión de Rosa Guerra a otra novela con el mismo asunto y título se refiere a ésta. En carta de Mr. Caleb Cushing, que la autora inserta al frente de la segunda edición de *Lucía Miranda,* con fecha 4 de febrero de 1870, se menciona la primera edición como obra de autor joven. Rojas cita como primer libro de la autora *El médico de San Luis,* que se publica en 1860, y al hablar de *Lucía Miranda* dice que se publicó en el folletín de "La Tribuna", en 1882, y en el mismo año, en un volumen. Añade que la novela alcanzó varias ediciones en el siglo XIX. Nosotros sólo hemos visto la de 1882, que es la que utilizamos en este estudio.

La novela de Eduarda Mansilla comienza con una exposición histórica sobre el fuerte del Espíritu Santo. Presenta a Gaboto en el momento que va a regresar a España, dejando la pequeña guarnición, y en las palabras que cambia con Nuño de Lara se nos da a conocer los protagonistas Sebastián Hurtado y Lucía Miranda. Si la Mansilla hubiera continuado en ese punto la novela, su libro hubiera sido más interesante. Pero subyugada por la pasión de orígenes que lleva a los autores decadentes de las epopeyas a buscar hacia atrás el pasado íntegro de sus héroes, escribe toda una primera parte para contarnos el origen de Lucía, la vida de Nuño de Lara y su amor por Nina Barberini, episodio que todavía recuerda el melodrama de Sué y Dumas. También cree necesario contarnos la historia de Sebastián Hurtado hasta que en Murcia conoce y ama a Lucía Miranda. Inventa un evangélico Fray Pablo siguiendo la moda de *Atala.*

La segunda parte es la verdadera novela. Podría omitirse todo lo escrito después de la exposición y continuarse la lectura en esa parte, con lo cual ganarían el lector y la obra.

Comienza la narración con la salida de la expedición de Gaboto del puerto de Cádiz, el arribo al Paraná y la fundación del fuerte. También la Mansilla sufre el deslumbramiento exótico de lo indígena; Mangoré en esta novela tiene veinticinco años, va

1. Véase Rojas, *Los Modernos,* edic. cit., págs. 550-551.

vestido solamente con una cintura de plumas rojas, es cortés y de gentil presencia.

Da la Mansilla importancia a lo pintoresco de las costumbres indígenas, dedicando todo el capítulo VIII a la descripción de las bodas de Mangoré y Lirupé. Introduce un nuevo episodio: la expedición de los timbúes y españoles contra los charrúas, y un nuevo personaje: el adivino traidor llamado Gachemené.

Hay insinuaciones del paisaje pampero como ésta:

> No comprende Lucía las palabras de Mangoré; de pie en el mismo sitio, sigue involuntariamente con distraídos ojos la figura del indio, que se aleja por aquella vasta llanura, en donde ni una hierba crece más alta que otra; el sol poniente alumbra con sus reflejos encendidos el horizonte; celajes de oro y púrpura cambian el color de las nubes [1].

La muerte del viejo cacique Carripulín le sirve para describir las ceremonias fúnebres de los timbúes.

En esta novela es Siripo quien, enamorado también de Lucía, impulsa a su hermano a la destrucción de los españoles. Aparece otra variante: Mangoré y Siripo luchan disputándose a Lucía. Al fin, ayudado por uno de los suyos, Siripo vence a Mangoré, que cae muerto por un macanazo. Siripo huye, llevando en brazos a la española.

El capítulo último describe el martirio de los esposos. Sólo Sebastián es asaeteado. Lucía cae muerta de dolor en el instante en que las flechas atraviesan el corazón de su amado. La hoguera destruye sus despojos.

Entre las novelas sobre Lucía de Miranda, nos parece la de Eduarda Mansilla la más lograda. Esto, en lo que se refiere a la segunda parte, que como ya apuntamos, constituye lo que debió ser la novela.

---

1. *Lucía Miranda,* Buenos Aires, Imp. de Juan A. Alsina, 1882, pág. 347.

5. — La leyenda en dos novelas del novecientos

Dos autores han intentado la novela de Lucía de Miranda después de 1889: Alejandro R. Cánepa y Hugo Wast.

La novela de Cánepa[1], como obra de arte, es un nuevo fracaso. Publicada en 1918, parece escrita en la época decadente de la escuela romántica. La narración se alarga entre digresiones de historia. El autor dice en el prefacio que ha tratado de hacer una contribución a la historia de la conquista de América. Divide su novela en tres "jornadas": "la primera se desarrolla en España; la segunda tiene por escenario el Océano Atlántico; la tercera se desenvuelve en el continente americano". La fuente principal de Cánepa es el Deán Funes. Esto de creer estar haciendo una contribución histórica exaspera a Leguizamón, quien se decide a escribir el estudio que hemos citado antes cuando lee la obra de Cánepa, a la cual alude directamente.

Los indios de esta novela son abyectos e hipócritas. Estamos lejos de idealizaciones, como Outougamiz o Tabaré. El novelista habla una y otra vez del odio de razas, de la raza superior y antagónica. En *Cumandá*, Juan León Mera disculpa la ferocidad de los jíbaros en el abandono de la sociedad. Los indios de Cánepa no tienen posibilidad de redención.

La novela de Wast[2], mejor escrita, representa, sin embargo, uno de los peores momentos del autor. En ella, la ponderación de Lucía en valor y castidad recuerda especialmente el entusiasmo de Funes. Va más lejos que él; Lucía viste aquí armadura, pelea en defensa del fuerte, y es su espada la que hiere a Mangoré. Junto a la heroína, Wast ha puesto otra mujer interesante: Urraca Moreno. También sigue esta novela el camino anacrónico de persistente romanticismo.

1. *Lucía de Miranda o la conquista trágica*, Barcelona, Maucci, 1918.
2. *Lucía Miranda*, Paris, Cabaut, 1928; reimpresa en Buenos Aires, 1929, y en Barcelona, Editorial Juventud, 1930.

CAPÍTULO VII

MÉXICO: NOVELAS HISTÓRICAS

Las originales culturas indígenas mexicanas no fueron durante la época romántica fuente de novelas valiosas en México. Tres de ellas se basan en la conquista de Yucatán, cuatro en la de México, una en la formación del dominio azteca y otra en la evangelización de los indios. Las otras culturas quedan inéditas en la novelística hasta época posterior; una novela mixteca, *Ita Andehui*[1], publicada en 1906, no entra en la cronología de este estudio, aunque en estilo y técnica sigue siendo romántica. Delfino Ramírez publicó, con el seudónimo de "Eutimio Roldán", *Quetzal y Metztlixóchitl*[2], novela mitológica con reminiscencias de las *Mil y una noches,* basada en el mito de Quetzalcoatl, que no logra expresar en toda su belleza.

1. — Novelas de tema mexicano

Antes de la publicación de la primera novela de este grupo se escribieron dos series de poemas indígenas, que continuaron la tradición iniciada por Galván: *Las aztecas*[3], de José Joaquín Pesado (1801-1861), y las *Leyendas mexicanas*[4], de José María Roa Bárcena.

Intenta Pesado crear una poesía de espíritu azteca. No puede lograrlo, a pesar de su lectura de las crónicas y sus consultas a su

1. Manuel Martínez Gracida, *Ita Andehui,* Oaxaca, Tip. J. S. Soto, 1906.
2. México, Imp. de Ireneo Paz, 1902.
3. José Joaquín Pesado, *Las aztecas, Poesías tomadas de los antiguos cantares mexicanos,* México, Imp. de Vicente Segura Argüello, 1854.
4. Roa Bárcena, *Leyendas mexicanas,* México, Agustín Masse, 1862.

amigo Faustino Chimalpopoca. Sus recuerdos bíblicos y clásicos se interponen entre su aspiración y el pasado que desea evocar. Reflexiones horacianas, lirismo manriqueño, son las notas capitales.

En la segunda parte de *Las aztecas* adapta Pesado los cantares atribuídos a Netzahualcóyotl. La fugacidad de la vida y del placer y la glorificación del Dios invisible son los tópicos de estos poemas. Estrofas de un clasicismo levemente turbado por contenida emoción romántica:

> Amigos, compañeros
> que pasáis por la tierra peregrinos,
> todos somos viajeros
> que por breves senderos
> llegamos a los cielos cristalinos.

Es el poeta Netzahualcóyotl quien habla. Pudo ser Jorge Manrique. En *Las aztecas,* lo inconfundiblemente indio es el título. Veremos más adelante cómo la adaptación de los cantares atribuídos al rey texcocano es un factor poético en la novela *Nezahualpilli.*

Más acusado elemento indígena ofrecen las leyendas de Roa Bárcena. La primera es *Xochitl* o *La ruina de Tula.* que narra la pasión de Tecpancaltzin, noveno rey tolteca, por la bella Xochitl, junto con la invención del pulque y la caída de Tula. En clásicas redondillas describe a Xochitl introduciendo un matiz pintoresco:

> Con flores entretejida,
> la cabellera abundante,
> y en broche de oro brillante
> la capa al hombro prendida.
> Mal los contornos recata
> del seno alzado y gentil,
> el blanquísimo *huipil*
> con campanillas de plata.

Siguen las leyendas *La princesa Papantzin* sobre las revelaciones que hace esta princesa a su hermano Moctezuma; *El casamiento de Netzahualcóyotl* con la princesa azteca Matlacihuatzin y la *Emigración de los aztecas* hacia el Anáhuac.

2. — "Los mártires del Anáhuac", por Eligio Ancona

Un novelista yucateco, Eligio Ancona [1], es el primer autor que en la literatura mexicana escribe una novela sobre la conquista de México. Como en el caso de la Avellaneda, Bernal Díaz del Castillo, Prescott y Clavijero son sus principales fuentes históricas; pero supera a la novelista cubana en su descripción de la cultura indígena. Conocedor directo de esta cultura, pudo describirla con emocionada verdad. Así en la autobiografía de doña Marina, capítulo III de la novela, encontramos todas las ceremonias religiosas que se practicaban cuando nacía un niño.

El capítulo mejor logrado por la reconstrucción arqueológica es el IX de la primera parte, donde Ancona describe la fiesta del dios Tezcatlipoca. Mazatl, prisionero hecho durante la derrota de Cuautla por Moctezuma, es elegido para semejanza del dios. Ancona no omite ningún detalle de los preliminares del sacrificio; las galas con que adornan al joven Mazatl; las muestras de respeto que recibe dondequiera que se presenta; las jóvenes esposas que le dan para su regalo. Para dar más interés a la situación del prisionero, hace que éste ignore hasta el último instante su destino. Es Xilonen, la preferida, quien le anuncia la muerte. El sacrificio de Mazatl, que asciende las gradas del teocalli cantando un himno, cierra este episodio.

Iguales conocimientos arqueológicos muestra Ancona al describir la indumentaria indígena, las tácticas guerreras y las costumbres civiles de los aztecas.

Los mártires del Anáhuac [2] es la novela más indianista del grupo romántico mexicano. Naturalmente, es la más antiespañola. El título es síntesis de la actitud de Ancona ante los aztecas, a quienes considera nobles mártires, cuya dignidad contrasta con la avaricia y crueldad de los conquistadores. Hubiera acogido Ancona con entusiasmo la imagen spengleriana que describe la destruc-

1. Nació en Mérida, Yucatán, en 1836. Obtuvo el título de abogado en la Universidad Literaria de Yucatán en 1862. Sirvió a su país en importantes cargos públicos, y realizó, durante el Imperio, labor periodística a favor de los ideales republicanos. Escribió una *Historia de Yucatán* y una novela de costumbres, *La Mestiza,* México, Imp. Mirador de la Alameda, 1891.
2. México, Imp. de José Bastiza, 1870.

ción de la cultura azteca: "Una flor que el transeunte decapita con su vara."

El indianismo de Ancona se manifiesta con mayor intensidad en el capítulo II, parte segunda, que describe la muerte de Cuauhpopoca, su hijo, y quince señores de su corte. Se le acusa de haber dado muerte a Juan de Escalante, con otros cristianos que pelearon a favor de los rebeldes totonacas. Van las víctimas a la hoguera con estoicismo sin ejemplo. En medio de las llamas se alza la voz de Cuauhpopoca:

> Los dioses son testigos de mi inocencia en el supuesto crimen que se me imputa. Yo no he hecho más que lo que debe hacer todo hijo de Anáhuac que tenga sangre azteca en las venas: combatir contra los rebeldes totonacas. ¡Hijo mío! Valientes guerreros de Nauhtlan: no olvidéis en este último trance que habéis cumplido siempre con vuestro deber y que vuestros enemigos os contemplan [1].

Rompió a cantar entonces un himno solemne invocando a los dioses. Los demás reos repitieron el himno en coro hasta que las voces fueron silenciadas por las llamas. Ancona subraya entonces su descripción con estas palabras:

> ¡Nobles mártires del Anáhuac, sacrificados a la cobardía de un rey y al canibalismo de vuestros enemigos! Vuestro cadalso fué como el de otros muchos que ha levantado en todo el ámbito de la tierra la injusticia de los hombres: el pedestal de vuestra gloria.

El retrato que hace de Cortés y sus capitanes está recargado de sombras. No niega la valentía y firmeza de carácter del conquistador; mas lo presenta lleno de codicia y de crueldad inverosímil para con los indios y hasta con los suyos. Repite la frase de Cortés ante el oro que le trae Teuhtlile: "Los españoles padecemos una enfermedad del corazón que sólo se cura con ese metal."

El epílogo de la novela, al presentar a Cortés ante Carlos V, pidiendo justicia, termina:

1. *Los mártires del Anáhuac*, edic. cit., pág. 24.

> La ingratitud proverbial de los reyes vengaba hasta cierto punto la sangre de tantos mártires sacrificados a su ambición y su crueldad

No nos detendremos a resumir la novela, puesto que ella sigue los episodios de la conquista de México, tales como los conocemos en cronistas e historiadores. Ancona añade elementos novelescos: la fiesta de Tezcatlipoca, los amores de Geliztli, hija de Moctezuma, y Tizoc; el sacrificio de un niño en el gran teocalli de México.

El episodio histórico mejor narrado es *La noche triste,* en el capítulo XIII, donde se realiza una gradación dramática interesante.

3. — Novelas indianistas de Ireneo Paz

Muy inferior a la novela de Ancona es *Amor y suplicio* [1], de Ireneo Paz [2]. Novela de la conquista de México, ocupa en ella lo seudohistórico gran espacio. Un exceso de sentimentalismo romántico lleva al autor a deformar el carácter de su protagonista, Cuauhtemoc; introduce descripciones de la naturaleza con artificiosa inoportunidad, y cuando quiere acentuar su afirmación de que escribe "con la historia en la mano" copia párrafos de Clavijero y Prescott.

Divide la obra en dos partes: *Los amores de Otila* y *El suplicio.* Comienza la primera como el *Ivanhoe,* de Scott, describiendo un gran bosque, sólo que es un bosque americano un tanto fantástico. En seguida introduce a Cuauhtemoc en traje de cazador, a quien sorprende la noche "absorto en profundas meditaciones". En el segundo capítulo sabemos que el príncipe está enamorado de Otila, hija de Maxixcatzin, uno de los jefes de Tlaxcala. Obstáculo casi insuperable para este amor, a causa de la enemistad entre Tlaxcala y México. No obstante Cuauhtemoc envía a su adepto Coulzin con

1. Tip. de J. Rivera, hijo, 1873, 2 vols.

2. Nació en Guadalajara, 1836. Murió en 1924. Realizó una larga e importante labor periodística a favor de la Reforma y la República contra el Imperio. Escribió, además de las indianistas, dos novelas: *La piedra del sacrificio* (1871) y *Amor de viejo* (1874).

un mensaje de amor y un collar de perlas para Otila. El mensaje da idea de la clase de amor que imagina Paz entre estos príncipes:

> Le dirás que desfallezco por ella, que no duermo en las noches contemplando su imagen grabada en mi corazón, y que el día lo paso pensando en sus ojos.

Arrostrando la muerte, Coulzin se introduce en Tlaxcala y habla a la princesa. Otila acepta el presente y expresa deseos de ver al príncipe. Éste, disfrazado como un hombre del pueblo, va a Tlaxcala, ve a la joven en el jardín, donde se siente morir cuando sabe que es amado. Después de cantarle un himno de amor se introduce en el palacio de Maxixcatzin para ver la fiesta del dios Camaxtle.

Xicotencatl, a quien resta belleza moral Paz presentándolo dominado por los celos y por un injustificado sentimiento de venganza, ama a Otila. La invita a bailar, y le dice que ella debe amarlo porque no hay nadie más noble y valiente que él. Otila contesta que sabe de un general más noble; Xicotencatl alza la voz retando a su rival; Cuauhtemoc se descubre y es hecho prisionero. Sigue un singular torneo entre ambos jóvenes. Vence Cuauhtemoc y se le otorga la libertad, regresando a México.

Pero llegan los españoles. Otila se enamora de Velázquez de León, se convierte al cristianismo tomando el nombre de doña Elvira y se casa.

La segunda parte del libro versa sobre la conquista de Tenochtitlán por Cortés. Se aparta aquí menos Paz de la historia, aunque la tendencia melodramática continúa. Otila llega con su esposo Velázquez de León a Tenochtitlán, junto con el ejército de Cortés. Xicotencatl, malignamente, informa a Cuauhtemoc de su desdicha. El príncipe quiere morir; mas decide, por último, consagrarse a la patria. Después de varias peripecias románticas, en que sobresale la prisión de Cuauhtemoc, su canto detrás de la reja, el resucitado amor de Otila, desilusionada ya de Velázquez de León, Paz describe "la noche triste" de manera muy inferior a Ancona. En esa noche, Xicotencatl hiere de muerte a Otila, y ésta, antes de morir, intenta la conversión de Cuauhtemoc al cristianismo.

Después de los capítulos en que describe el cerco de México

y la prisión de Cuauhtemoc, termina su obra Paz con un último capítulo titulado *A las puertas del cielo.* Es el suplicio de Cuauhtemoc y su muerte. Por reunirse con Otila, el joven confiesa al mercedario Juan de Varillas que cree en Cristo, "y en las puertas del cielo abraza a todos los españoles". Extraña actitud del héroe mexicano, y más extraño ese abrazo a sus enemigos.

Y es que Paz no es antiespañolista como Ancona, y hasta justifica el aspecto cruel de la conquista. En el capítulo XXI de la primera parte de su obra confiesa que la lectura de los historiadores mexicanos lo llenó de resentimiento; pero después el estudio de la filosofía y el conocimiento de lo que ocurrió en otras naciones en siglos pasados, "episodios tan atroces y bárbaros como los de la conquista de México, nos han hecho ver este acontecimiento como indeclinable para la marcha de la Humanidad". Y aludiendo a la primera República española, que coincidió con la redacción de su libro, añade Paz:

> Y si tenemos una palabra de olvido para los españoles de hace tres siglos, ¿cómo no la hemos de tener de fraternidad para los representantes de ahora, que nos instruyen con sus obras, que nos electrizan con su palabra y que se colocan a la cabeza de la civilización europea?

La conclusión de *Amor y suplicio* describe una tempestad de remordimientos en el alma de Cortés, con el obligado paralelo de una noche de tormenta en la vencida Tenochtitlán.

La segunda obra indianista de Ireneo Paz es *Doña Marina* [1], que continúa, en dos volúmenes, la novela anterior. A pesar de que la protagonista es la extraordinaria consejera de Cortés, la mayor parte de la narración está consagrada a las conspiraciones con que los enemigos del conquistador entorpecieron la realización de sus ilusiones virreinales hasta hacerle retornar a España.

El elemento ibérico es aquí más importante que el indígena. Asistimos a un momento histórico, 1522, de singular interés, en que las dos culturas empezaban a mezclarse. Aunque Paz no supo aprovechar artísticamente esta situación, la insinúa en el párrafo siguiente:

> El lector no podrá formarse una idea siquiera del conjunto

---

1. *Doña Marina. Novela histórica,* Méjico, Imp. de Ireneo Paz, 1883.

> que resultaría de la civilización azteca y la española reunidas, que no estaban, por cierto, muy aventajadas, pues que era preciso estar presenciando las danzas al lado de las justas; los juegos de dados y de naipes al lado del juego de pelota de los indios y las músicas de unos y otros de tan distintos timbres e instrumentos [1].

El amor ocupa una gran parte de la novela. En primer término, el de doña Marina por Cortés, que la convierte en una admirable espía, el mejor escudo que tiene su amado contra sus enemigos. Paz describe a doña Marina vencida por este amor; cuando la india tiene noticias del matrimonio de Cortés con doña Juana de Zúñiga se despeña a un abismo desde una alta roca. Siguen otros hilos de amor: Jaramillo ama a doña Marina; también la ama Cuauhtli, hijo de Moctezuma. El joven oficial Pedro Gallegos se enamora de la princesa Tecuixpotzin, también hija de Moctezuma, y por último, caso inusitado, doña Violante Rodríguez, dama de la esposa de Cortés, se enamora apasionadamente de Quecholli, sobrino del rey de Michoacán. Este amor desemboca en el melodrama; don Diego de Soria, protegido de doña Catalina Suárez, se enamora también de Violante, y ella es forzada a ir al altar. Pero en el instante de la ceremonia la joven se hunde un puñal en el corazón.

Las descripciones de la naturaleza son escasas; pero en una ocasión Paz establece la romántica concordancia entre alma y paisaje que vimos nacer en Rousseau. Doña Marina ha roto sus relaciones con don Hernando al saber que doña Catalina Suárez ha desembarcado en Veracruz para reunirse a su esposo. La india sale de noche para Tenochtitlán, y el capítulo III del volumen segundo nos describe la armonía de la naturaleza con el dolor de Marina:

> En aquel momento, ni los pájaros trinaban ni las hojas de los árboles se movían. Ni una ráfaga de aire empujaba en el cielo la más tenue nubecilla. Toda la naturaleza parecía estar muda, parecía estar respetuosa ante el inmenso dolor de Marina. Ningún murmurio, ningún ruido de la noche venía a interrumpir aquella fría calma, más fría aún que la misma muerte.

---

1. *Doña Marina. Novela histórica.* México, Imp. de Ireneo Paz, 1883, segunda parte, pág. 159.

En cuanto a la técnica, no es superior *Doña Marina* a *Amor y suplicio.* Sigue el autor, en los momentos que cree de más importancia, citando a Bernal Díaz y Prescott; para describir la reconstrucción de México, transcribe a Orozco y Berra.

4. — "Azcaxóchitl o La flecha de oro", por J. R. Hernández

En 1878 publica J. R. Hernández lo novela *Azcaxóchitl o La flecha de oro* [1], cuya acción se desenvuelve en época precortesiana, en el siglo XIV, cuando era jefe de los aztecas Huitziliuitl.

Las fuentes de Hernández son Clavijero, Veytía y Fernando de Alva Ixtlilxóchitl. Teje su novela relacionándola con tres pueblos mexicanos: el reino de Acolhuacan, el más poderoso, fundado por una tribu nahuatlaca en tiempo del gran jefe Xolotl; los aztecas, quienes, reconocidos por Xolotl, habían fundado una tosca ciudad en la cumbre del cerro de Chapultepec, y Malinalco, estado tributario de Colhuacán.

Existía un antiguo resentimiento entre malinalcos y aztecas. Muerto el jefe azteca Huitziton, cuando todavía esta tribu peregrinaba desde Aztlán, su hermana Malinolxóchitl, llena de ambición, incitaba a sus adeptos a la rebeldía. Los sacerdotes, queriendo dominar al pueblo, le hicieron creer que el dios de la guerra Huitzilopochitli, título que habían dado a Huitziton después de muerto, les aconsejaba abandonar a la rebelde. Los aztecas obedecieron dejando a Malinolxóchitl y los suyos mientras dormían. Malinoxóchitl se refugió con sus parciales en Malinalco. El rey Copil era hijo de esta reina y odiaba a los aztecas.

El sacerdote azteca Quauhtlequetzqui ambiciona ser jefe de la nación y está enamorado de la princesa Azcaxóchitl, la hija de Copil, bella amazona que porta siempre en la mano una flecha de oro. El sacerdote incita a Huitziliuitl a realizar una expedición contra Malinalco, pero antes ha dado aviso a Copil, pues desea que los aztecas sean derrotados, y que Huitziliuitl muera en la batalla. El jefe azteca asalta con los suyos a Malinalco, es vencido, y hubiera muerto en el combate a no ser protegido por el

1. México, Barbedillo, 1878.

valiente Ocelot. Éste había descubierto la traición del sacerdote y la revela a Huitziliuitl. En el instante en que el jefe ordena dar muerte al traidor, aparece un mensajero que había enviado el sacerdote a Malinalco. Consigue Quahtlequetzqui hablar a solas con Huitziliuitl; le dice que Copil ha formado una liga con otros pueblos para destruir a los aztecas. El sacerdote, no queriendo perder a su pueblo, renuncia a sus planes ambiciosos y se decide a salvarlo. Sólo aspiraba ahora al amor de Azcaxóchitl.

El jefe restituye su confianza a Quauhtlequetzqui. Se celebra una asamblea donde se decide que éste invite a Copil a deliberar a la isla de Tlalconoco, sobre la manera más rápida de hacerse soberano del pueblo azteca. Copil va a la cita acompañado de Azcaxóchitl. El sacerdote lo mata, y ofrece su corazón a los dioses anunciando la futura grandeza del pueblo azteca.

Lleva a Azcaxóchitl a su palacio. La princesa jura que vengará a su padre. En tanto los colhuas, malinalcos y otros pueblos vecinos se unen contra los aztecas. La ciudad está sitiada. Azcaxóchitl dice a su guardián que al fin ama al sacerdote; que desea vestir el traje que tenía cuando fué hecha prisionera, y pelear a su lado. Consigue su deseo, sólo para atravesar el corazón de Quauhtlequetzqui con su flecha de oro.

Termina el libro describiendo la derrota de los aztecas. Huitziliuitz y las dos princesas de la familia son llevados a Colhuacán, donde se les da muerte.

Contrasta esta novela con las precedentes por la sobriedad. No encontramos en ella el amor romántico, y apenas unos párrafos descriptivos de la naturaleza: una rápida visión del bosque de Chapultepec, y un convencional crepúsculo. La fuerza de las épocas arcaicas asoma, no obstante, en algunos pasajes, y esto nos parece mejor que el delicuescente romantizar de Ireneo Paz. Original es también la heroína, quien no se parece a Atala, ni a las mujeres de *La Araucana.* Hernández la describe en el combate:

> Mirar centelleante y altivo, boca comprimida por el desdén, con indomable bravura en sus marciales movimientos, encarnaba perfectamente la representación de esa América virgen que ha sido calumniada por mucho tiempo y cuyas glorias en esos pasados tiempos han quedado en parte ignoradas [1].

1. *Azcaxóchitl,* edic. cit., pág. 41.

NOVELAS DE TEMA YUCATECO

1.—"La cruz y la espada" [1], por Eligio Ancona

Los indios yucatecos aparecen por primera vez en una obra novelesca en 1836, cuando Mariano Meléndez Muñoz publica *El misterioso* [2], disparatada novela seudohistórica. El príncipe don Carlos, hijo de Felipe II, es el protagonista. Otros personajes importantes son Hernán Cortés y Pánfilo de Narváez. Se desenvuelven los episodios, ya en España, ya en Yucatán y Tabasco. Las crueldades de Hernán Cortés para con los indios son uno de los resortes que Meléndez Muñoz utiliza con más frecuencia.

Eligio Ancona (1836-1893) escribe también una novela sobre la conquista de Yucatán: *La cruz y la espada.* Volvemos a encontrar aquí en consideración equilibrada lo indígena y lo español. El protagonista es el joven Alonso Gómez de Benavides, aunque el carácter de Zuhuy-Kak, la hija de Tutul-Xiu, está trazado con gran simpatía.

En 1539, fecha en que sitúa Ancona el comienzo de su obra, el grupo de aventureros aspirantes a la conquista de Yucatán, capitaneados por Francisco Montejo, se había establecido en Champoton.

Alonso de Benavides cuenta su historia al viejo Bernal Pérez; mientras estudiaba en Salamanca se había enamorado de doña Beatriz, hija del Conde de la Rada. El Conde se opuso a este amor, porque Benavides, siendo el menor de cuatro hermanos, no tenía patrimonio. Encierra a Beatriz en un convento; Alonso se introduce en la celda de su amada y la convence de que huya con él. Al escapar por la tapia los sorprende el Conde. Benavides lucha con él y lo hiere mortalmente. Huye a América, en donde se siente muy desdichado.

Para celebrar la reconciliación entre Montejo y unos frustrados conspirados, Benavides y Bernal Pérez van a buscar gallinas a una aldea cercana y son apresados por los indios. Los llevan a

1. Paris, Librería de Rosa Bouret, 1866.
2. Guadalajara, Imp. de Teodosio Cruz Aedo, 1836.

una ciudad populosa, donde Bernal Pérez es sacrificado. Benavides presencia el sacrificio, y después es conducido a otra ciudad donde lo visita en su celda Zuhuy-Kak, la hija de Tutul-Xiu; le cuenta la historia de su madre Kayab, viuda del español Gonzalo de Guerrero, y le dice que ella es hija del rey de Maní, con quien Kayab se había casado.

Zuhuy-Kak salva a Benavides, y lo lleva a una cabaña escondida en un bosque, donde está el misionero Francisco de Soberanís, a quien también había salvado.

Kan-Cocom, hijo del cacique de Sotuta, viene a pedir la mano de la princesa. Pero ella se ha enamorado del extranjero, y rehusa. Descubre Kan-Cocom el escondite de Benavides, y la princesa, después de ser bautizada por el misionero, huye con su amado. Kan-Cocom los persigue; alcanza el pecho de Benavides con una de sus flechas. Pero no lo mata. Zuhuy-Kak y el español son llevados a Sotuta. En tanto Totul-Xiu, supersticioso como Moctezuma, aconsejado por el gran sacerdote, concierta la paz con los españoles. Se concentran las fuerzas aliadas contra Nachi-Cocom, cacique de Sotuta, quien con un gran ejército ataca a los españoles en Thóo y es vencido. En esta batalla, Kan-Cocom muere bajo las flechas de sus propios soldados, mientras trata por la fuerza de retenerlos en el asalto.

Benavides huye de su prisión disfrazado de *macehual*, y está a punto de rescatar a Zuhuy-Kak, cuando llega Nachi-Cocom. El español va a ser sacrificado. En el instante en que lo llevan a la piedra del sacrificio, se lanza sobre el sacerdote, le quita el cuchillo de pedernal, y se abre paso entre sus verdugos. En este momento llegan los españoles. Benavides es capturado de nuevo. Atado sobre la piedra del sacrificio, sirve de escudo a Nachi-Cocom. Un joven español llamado don Alonso sube por el lado opuesto del templo con diez soldados, mientras otro español, Rosado, sube por el frente con los suyos. Don Alonso mata a Nachi-Cocom. Benavides reconoce a su salvador; era Beatriz, quien vestida de hombre le había seguido a América. Beatriz no era hija del Conde, la verdadera hija había sido encontrada; el Conde, quien sanó de su herida, permite a Beatriz venir a América y buscar a su amado.

En tanto Zuhuy-Kak es prisionera de Ek-Kupul, india ultrajada por un español, a quien sólo movía el espíritu de venganza. Kan-Cocom le había dicho que matara a la princesa antes de entregarla a Benavides. Así, cuando oye que se acercan los blancos,

Ek-Kupul dispara una flecha que hiere a Zuhuy-Kak. El Padre Soberanís la encuentra agonizante. La exhorta largamente, la convence de que debe perdonar a Benavides y a Beatriz. Cuando éstos llegan, la prisionera se despide de ellos sin rencor.

En los cuatro años que mediaron entre *La cruz y la espada* y *Los mártires del Anáhuac,* Ancona depuró su gusto y sus procedimientos. Hay una gran distancia entre ambas obras. En la primera, imitando a los novelistas seudohistóricos de Francia recurre a medios ineficaces por alcanzar interés: amor contrariado, suplantación de niños, violación de conventos, dama que sigue a su amado en traje masculino.

Lo que interesa aún en el libro son las costumbres, religión y carácter de los mayas que describe; el sacrificio de Bernal Pérez; el ejército de Nachi-Cocom; la descripción de Zuhuy-Kak.

La emoción arqueológica es lo único que se salva de excesos. En esta novela nos encontramos con un motivo frecuente en la literatura romántica: la emoción de las ruinas. Cuando este sentimiento aparece en Hispanoamérica, sugerido por ruinas prehispánicas, no se evocan solamente grandezas pasadas para meditar sobre la brevedad y engaño de la gloria, sino que hay, además, la atracción del misterio que esas ruinas —especialmente las mayas— ejercen ante el contemplador. Ancona escribe:

> Esos montículos y grandes cerros artificiales que costaron años de trabajo y de paciencia; esas piezas de escultura que yacen enterradas entre escombros; esas paredes recargadas de adornos en relieve que desafían la incuria de los siglos; todos esos trabajos consumados delicadamente por instrumentos imperfectos y que son prueba de una mano tan experta como inteligente y artística, no tienen hoy más que un nombre despreciativo que los más pronuncian con indiferencia. Por ventura, esa impresión de la mano roja, estampada en dondequiera que se ven ruinas, ¿no son otros tantos jeroglíficos misteriosos en que están escritos los anales de ese pueblo noble, valiente, ilustrado y artista, cuya memoria no merecía la suerte que le ha cabido? [1].

En cuanto a influencias literarias, además de la ya citada de novelistas seudohistóricos, encontramos que Ancona sigue el

1. *La cruz y la espada,* edic. cit., I, 117-118.

procedimiento de Scott, al situar en primer término los personajes de secundaria importancia histórica, y, como Scott, encabeza cada uno de sus capítulos con un lema en verso o prosa.

Hay en el modo cómo Benavides y Bernal Pérez son apresados por los indios similitud con episodios equivalentes en Cooper. Por último, la manera como la hija de Tutul-Xiu visita a Benavides y lo salva, recuerda la fuga de Atala y Chactas. Apasionada como Atala, no tiene empero la princesa una complicada psicología. Su tristeza surge con la ingratitud de Benavides.

La muerte de Zuhuy-Kak, exhortada por el P. Soberanis, también es reflejo de la escena de la muerte de Atala.

2. — "La hija de Tutul-Xiu"

Eulogio Palma y Palma [1] escribe una novela que, como el drama *Ollantay,* sitúa sus escenas antes de la conquista. Se trata de una novela de reconstrucción arqueológica, labor siempre de grandes dificultades, que se aumentan en este caso a causa de los escasos documentos disponibles sobre la civilización maya. Aprovecha Palma todas las fuentes: Cogolludo, Landa y Herrera con más frecuencia.

Centra su novela en las guerras sostenidas por Cocom, rey de Mayapán, y Tutul-Xiu, rey de Uxmal, resultado de una antigua desarmonía entre ambos reinos. El objeto de Palma, según su prefacio, fué:

> Urdir una ficción que, aunque carezca de una verdad histórica comprobada, me permita, sin embargo, bosquejar las costumbres, las ideas religiosas, las leyes civiles y militares, y todo lo que la Historia ha podido transmitir de aquellos tiempos heroicos.

Sigue una novela "de intriga" en el sentido romántico. La hija

1. Nació en Motul, Yucatán, en 1851. Ha desempeñado varios puestos públicos, entre ellos el de diputado en la legislatura de Yucatán. Se ha dedicado con predilección a los estudios arqueológicos e históricos, escribiendo gran número de artículos sobre esas materias. Además de *La hija de Tutul-Xiu,* escribió Palma *Aventuras de un derrotado de Motul,* Motul, Imp. de la «Gaceta de la Costa», 1886.

de Tutul-Xiu, Itzcaan, y el joven Chan-Ek, se aman. Decide el enamorado alcanzar glorias militares peleando contra Cocom y sus aliados mexicanos. Logra su propósito: por medio de una hábil maniobra hace prisionero al mismo Cocom en una batalla. El rey de Mayapán se suicida antes de entrar en Uxmal. Chan-Ek obtiene por su hazaña el título de general del ejército y la mano de la princesa.

Pero este triunfo es causa de grandes desdichas para los enamorados: la princesa tenía por compañera a la bella Koyoc, quien había rechazado las pretensiones matrimoniales de Ah-Kinchil. El desdeñado convence a Chuy-Kak, hijo del antiguo jefe del ejército, que ama también a Itzcaan, de la injusticia con que lo ha tratado el rey, nombrando a otro en un puesto que era suyo. El plan de Ah-Kinchil, que acepta Chuy-Kak, es que éste dispare una saeta al pecho de Chan-Ek en el primer combate que sobrevenga.

En tanto sabemos, por una narración de Itzcaan a su amado, que ella había ido con su madre en peregrinación al templo de Mayapán para solicitar la protección de los dioses; que el hijo de Cocom se había enamorado de ella sin saber al principio quién era, pues madre e hija iban disfrazadas como mujeres del pueblo. El príncipe, audaz y perverso, siguió a las viajeras acompañado de tres de los suyos. Quiso apoderarse de Itzcaan por la fuerza, y en la lucha entre los hombres que acompañaban a la princesa y los suyos quedó mortalmente herida la reina de Uxmal.

Muerto el rey de Mayapán, le sucedió el joven Cocom, quien se propuso pelear con Uxmal hasta vencer a Tutul-Xiu y apoderarse de la princesa. Envía una embajada insultante a Tutul-Xiu, y pide, como una de sus condiciones de paz, que se le entregue a Itzcaan para sacrificarla en el templo de Kukulkán.

La guerra continúa, y en el primer encuentro Chuy-Kak y Ah-Kinchil realizan su plan; en el momento más difícil del combate una saeta atraviesa el pecho del jefe Chan-Ek, quien es llevado en camilla al sitio que indica Ekel-Ná, uno de sus adictos. La derrota del ejército de Xiu es completa. Poco después el rey abandona Uxmal y fija su corte en Maní, temiendo el avance de los soldados de Cocom. Como nadie sabe el paradero de Chan-Ek, Chuy-Kak, que oportunamente se presentó a pelear en su lugar, manda interinamente las tropas.

Tutul-Xiu, viéndose casi vencido, aparenta aceptar las condiciones de Cocom, y le dice que no le entrega a su hija porque, aterrorizada al saber su destino, había desaparecido. Esconde a Itzcaan, en unión de su compañera, en una gruta secreta, no lejos de Maní.

Ah-Kinchil había divulgado la noticia de la muerte de Chan-Ek; pero cuando ambos cómplices se creían victoriosos, reaparece Chan-Ek, convaleciente aún. Tutul-Xiu, en una asambiea, discute con sus consejeros un nuevo plan, que es aceptado. Se trata de enviar un embajador de confianza a cada uno de los centros importantes del reino de Cocom, para proponer a sus nobles una insurrección contra las tiranías del joven rey. Al segundo consejero, padre de Koyoc, había asignado Xiu las cercanías de Mayapán para trabajar a favor de la conspiración. Pero el consejero fué asesinado misteriosamente antes de cumplir su cometido: Ah-Kinchil se vengó de él.

Igual suerte estaba preparada para Chan-Ek, quien debía realizar su misión en Oriente. Pero esta vez Chuy-Kak aplastó con su maza el cráneo de un viajero, espía de Cocom, creyendo que mataba a su rival. Cuando al fin se descubre la traición de estos perversos, deciden huir. Chuy-Kak no quiere marcharse sin la princesa. Itzcaan y Koyoc son raptadas de la gruta; pero en el camino, unos guerreros de Cocom, que también buscaban a la joven, hacen a todos prisioneros y los llevan a Mayapán.

Los sacerdotes de Cocom estaban muy disgustados con su rey, por haber éste introducido los sacrificios humanos. Su gobierno tiránico era ya insoportable para el pueblo. Cocom visita a Itzcaan y le dice que debe aceptar la corona o la muerte. La princesa rehusa, y entonces el rey prepara nuevos sacrificios en que morirán los cautivos.

Hay una larga descripción de las ceremonias preliminares; son sacrificados Ah-Kinchil y Chuy-Kak. En el momento en que Koyoc es llevada a la piedra fatal, Itzcaan lanza un grito. Entonces surgen los conjurados en gran número con Chan-Ek y Ekel-Ná a la cabeza, y Cocom es vencido.

En el epílogo se nos dice que las jóvenes Koyoc e Itzcaan se casaron con Ekel-Ná y Chan-Ek, sus respectivos amados; pero que esta victoria de Xiu sobre su enemigo marca la decadencia del pueblo maya que habían de sojuzgar muy pronto los españoles.

La contemplación de las ruinas no sugiere en Palma pensamientos melancólicos; antes bien, una agradable sorpresa, entusiasmo ante la grandeza del pueblo maya. Comenta la despoblación de Uxmal con estas palabras:

> Uxmal había sido desamparada, y era ya un cadáver para siempre. Pero aún están ahí sus restos, que, al través de los siglos, se conservan para dar testimonio de su pasada grandeza [1].

El paisaje de Yucatán asoma en la novela en varias ocasiones. Ermilo Abreu Gómez, en su interesante ensayo sobre las novelas de D. Justo Sierra O'Reilly [2], dice de este paisaje que es "un desierto sin movimiento y sin aire que se puebla de voces quedas, adormecidas bajo un sol desnudo". Y en la página 58 del mismo ensayo:

> La tierra yucateca, sin estaciones, ni ríos, ni montañas, siempre es igual; cielo y mar y tierra forman un solo cuerpo claro y azul.

La nota azul de este paisaje también la apuntó Palma describiendo las cercanías de Uxmal:

> Las últimas ondulaciones del terreno extendidas en lontananza apenas presentaban una débil silueta como arropada por el velo celeste corrido por doquier [3].

La nitidez del cielo y el sol desnudo también se insinúan:

> Se veía un cielo puro, a manera de una gigantesca bóveda de un azul inimitable; y hacia el Oriente, y rasando la cima de los verdes bosques, se veía también el sol radiante y arrojando raudales de luz vivificadora sobre aquel conjunto maravilloso [4].

Siempre menciona Palma verdes bosques cuando describe la naturaleza yucateca. No escucha las "voces quedas" de que habla Abreu Gómez, pero recoge ya algunas notas esenciales.

La descripción de la arquitectura maya ocupa bastante espacio, particularmente en el capítulo I, donde también se describen

---

1. *La hija de Tutul-Xiu,* Mérida, Imp. de la «Revista de Mérida», 1884.
2. *Sierra O'Reilly y la novela,* Contemporáneos, abril, 1931, pág. 56.
3. *La hija de Tutul-Xiu,* edic. cit., pág. 197.
4. *Ídem,* íd.

los atavíos de las diferentes clases sociales: el noble, el sacerdote, la dama, los esclavos. De la dama dice:

> Trae el cabello recogido y atado a la parte superior de la cabeza, en que se ven también algunos adornos de plumas de oro. La camisa de cuello cuadrangular, *huipil,* está ricamente bordada en la orilla inferior que cubre parte del faldoncillo. Lleva sandalias de cuero de venado, brazaletes, gargantilla de ámbar y pendientes en las orejas. Los dientes, que son muy blancos, están limados en forma de sierra.

La Mitología es otro factor de interés en el libro; además del dios creador Noh-yun-cab, se mencionan Kukulkán, Zuhuy-Kak, diosa del fuego; Ixchebeliax, dios de la pintura; Kochbitu, dios del canto y la música; Htub-tun, dios de la elocuencia, y Ah-Kin-Koc, dios de la poesía.

Hay, además, dos deliciosos cuentos intercalados en la obra: el de *Itzcaan o rocío del cielo* y el del *Pozo sagrado de Chichén Itzá.*

Reúne, pues, la novela de Palma varios detalles estéticos sugestivos que aligeran la complicada intriga.

Los personajes femeninos Itzcaan y Koyoc están realizados a base de contraste, manera frecuente en Cooper; dulzura y mente poética en Itzcaan, altivez y apego a las realidades en Koyoc.

Se ve que es Scott el modelo de los mejores pasajes; pero, con más frecuencia, cae bajo el influjo de los malos discípulos del novelista escocés.

CAPÍTULO VIII

«ENRIQUILLO», POR MANUEL DE JESÚS GALVÁN

1. — La tradición indianista en Santo Domingo

Ningún país hispanoamericano ofrece una tradición de literatura indianista más continuada que Santo Domingo. Tradición cíclica, iniciada por Las Casas, que alcanza vértice y final al mismo tiempo en la novela *Enriquillo.*

Este amor por las tradiciones indígenas, que lleva a los escritores dominicanos a su aprovechamiento más o menos artístico en el drama, la poesía y la novela, trasciende a la escultura; Abelardo Rodríguez Urdaneta modela un Caonabo rebelde y bello al descubrir el significado de los grillos con que acaban de aprisionarlo. El mismo Rodríguez Urdaneta nos decía cómo a tener más estímulo en su arte hubiera también llevado a la plástica dos temas de gran dramatismo: Anacaona camino del suplicio y la muerte de Guaroa, este último inspirado en un pasaje de la novela de Galván.

Las Casas tuvo por la isla Española particular amor. Los veinte primeros capítulos de la *Apologética historia sumaria* están dedicados a describir su geografía, sus frutas, sus árboles, su fauna. El capítulo XX coteja la Española con Inglaterra, Sicilia y Creta, para concluir:

> Y esto baste para manifestación de la grandeza, capacidad, amenidad, templanza, suavidad, riqueza, felicidad y excelencias de esta Española sobre todas las islas [1].

---

1. *Apologética historia*, NBAE, Madrid, Bailly-Baillière e Hijo, 1909, XIII, 50.

La tradición indígena aparece embellecida en *La historia de las Indias.* De esta obra han derivado, directa o indirectamente, los autores románticos de Santo Domingo, los temas y los caracteres de sus obras indianistas. Las Casas presenta con simpatía las grandes figuras indígenas: Guacanagarí, el aliado de los españoles; Coanabo, "señor y rey muy esforzado de la Maguana"; Anacaona, "señalada y comedida señora, muy notable mujer, muy prudente, muy graciosa y parlanciana en sus hablas y artes"; Guarionex, "bueno y pacífico" [1].

Juan de Castellanos dedica parte de la elegía primera y totalmente la tercera a la conquista de la Española. Su crudo realismo destruye la poesía de los retratos de Las Casas. De la reina Anacaona escribe:

> Aquesta fué mujer de Caonabo,
> hermano del cacique Behechío,
> querida de estos dos por todo cabo
> y respetada del demás gentío,
> y aunque de castidad fué menoscabo,
> para guerras no tuvo el pecho frío [2].

Presenta a Enriquillo con más espíritu de venganza que justa rebeldía. Sin embargo, no silencia las cualidades notables del cacique:

> Fué Enriquillo, pues, indio ladino
> que supo bien la lengua castellana,
> era gentil lector, gran escribano,
> y en estas islas tuvo grande mano [3].

Castellanos es una de las fuentes que cita Galván en el apéndice de su libro para corroborar la historicidad de su narración en lo que se refiere a Enriquillo.

Las Casas dedica tres capítulos de su *Historia de las Indias* al alzamiento del cacique. Lo describe "alto y gentil de cuerpo, bien proporcionado; la cara no la tenía hermosa ni fea, pero teníala

---

1. *Historia de las Indias,* Madrid, M. Aguilar, 1927, II, 455-456.
2. *Elegías de varones ilustres,* edic. cit., pág. 36.
3. *Ídem,* íd., pág. 49.

de hombre grave y severo"[1]. Anticipa Las Casas lo que han visto en Enriquillo las generaciones románticas:

> Cunde en toda la isla la fama y victorias de Enriquillo, húyense muchos indios del servicio y opresión de los españoles y vanse a refugio y bandera de Enriquillo, como a castillo roquero inexpugnable, a se salvar[2].

Tan emocionado es el relato, que Galván en su novela, al llegar a este episodio, no tendrá sino ampliar los capítulos de Las Casas.

Tuvo Galván, además de estos precedentes coloniales, antecesores en el tema indígena durante el romanticismo. Javier Angulo Guridi escribió en 1867 el drama *Iguaniona*[3]. Escrito en tres actos y en verso, en él aparecen Guarionex, Guatiguana, la princesa Iguaniona, un gran sacerdote, Bartolomé Colón y Pedro Avendaño.

La escena sexta es un monólogo de la princesa que resume el espíritu del drama haciendo la historia de la conquista en la isla. Acusa a todos, menos a Bartolomé Colón.

Avendaño, en la escena séptima, trata de convencer a Iguaniona de que lo siga. La princesa saca una flor del seno y la aprieta a sus labios. Muere envenenada, diciendo: "La tumba antes que sierva." Es el *Igi aya bonghe*, "primero muerto que esclavo", que cantaban en su himno de guerra los ciguayos; "el muero libre" que atribuye Galván al cacique Guaroa.

Este amor a la libertad que infunden los autores románticos en sus personajes indios, resume la angustia y las inquietudes de la nación dominicana durante las vicisitudes de su historia. En 1867 hacía dos años que la isla se había declarado libre de la reanexión a España. Antes de esa fecha, los dominicanos habían proclamado su independencia (1821); habían sufrido veintidós años de invasión haitiana; otra vez habían proclamado la República en 1844. La rebeldía del cacique Enriquillo alcanza, pues, para los dominicanos, la categoría de símbolo patriótico de renovada actualidad.

De mucho más valor poético que *Iguaniona* es la obra de José Joaquín Pérez (1845-1900). *Fantasías indígenas* (1876-1877) es una

1. *Historia de las Indias,* edic. cit., III, 235.
3. *Idem,* íd., 236.
2. Santo Domingo, Imp. J. J. Machado, 1881.

serie de breves poemas donde reaparecen los personajes de la tradición indígena dominicana. No reviven directamente de las páginas de las Casas; J. J. Pérez utiliza fuentes más inmediatas: los *Apuntes históricos sobre Santo Domingo,* de A. Llenas; la *Geografía de la isla de Santo Domingo,* de Javier A. Guridi; la *Historia de los caciques de Haití,* por Emil Nau; la novela histórica *Cristóbal Colón,* de Lamartine; la *Vida de Cristóbal Colón,* por Washington Irving.

Su imaginación, encendida por un don lírico intenso, es la fuente principal de estos poemas en donde los heroicos caciques pasan bellamente estilizados por una lejanía vista con nostalgia. Anacaona, la reina poetisa, es la figura dominante. Describiéndola, José Joaquín Pérez anticipa la entonación suavemente melancólica de Zorrilla de San Martín:

> Tal es la digna esposa del valiente
> e indómito cacique de Maguana,
> ¡paloma tropical que el ala tiende
> y del águila el nido amante guarda!
>
> Su mirada es de luz y amor; su acento
> eco dulce del valle y la montaña,
> preludio del laúd de ocultos genios,
> que el aire pueblan cuando asoma el alba [1].

Escribió el poeta una de sus fantasías en prosa: *Flor de palma o la fugitiva de Borinquen.* Anaibelca, hija del cacique de Borinquen, Bayoán, es la protagonista. Fascinante y ambiciosa de mando, la borincana pudo inspirar una novela. La leyenda está escrita en mala prosa y es inferior a cualquiera de las *Fantasías* en verso.

Salomé Ureña de Henríquez (1850-1897) suma a la tradición poética indianista su poema *Anacaona* [2]. La introducción describe la raza indígena quisqueyana. Luego el poema va desenvolviéndose según un plan sistemático. A la descripción de Anacaona y Caonabo, las figuras salientes, sigue la profecía del *buitío,* que anuncia la destrucción de la raza; la llegada de los españoles; el

---

1. *La lira de José Joaquín Pérez,* Santo Domingo, Imp. de J. R., Viuda de García, 1928, pág. 103.
2. *Poesías. Sociedad de amigos del país,* Santo Domingo, García Hermanos, 1880, págs. 113-208.

ataque de Caonabo a Guacanagarí y destrucción del fuerte Navidad; la guerra y liga de caciques; la prisión y muerte de Caonabo. Después de la matanza de Jaragua, el suplicio de la reina. El poema está escrito con la variedad estrófica frecuente en Zorrilla: serventesios, romances, octavillas, alejandrinos alternados.

2. — "Enriquillo". Panorama

La novela *Enriquillo* [1] debe tener para los hispanoamericanos un interés profundo. Leyéndola, asistimos al primer centro de trasplante de la cultura española en América. La novela enmarca la historia de Santo Domingo de 1503 a 1533; el momento de transitorio predominio de la Ciudad Primada, erguida frente al Ozama con su Torre del Homenaje, su flamante palacio de Diego Colón, su catedral, sus conventos de San Francisco y Santo Domingo.

En el fondo, las figuras ya sumisas de los indios; en el centro, los grandes personajes de la Conquista que toman la Española como tránsito para sus expediciones más arriesgadas; Hernando Cortés, Vasco Núñez de Balboa, Francisco Pizarro, Diego Velázquez, Juan de Grijalva. La vuelta de Cristóbal Colón de Jamaica y el recibimiento que le hace Ovando, constituyen un episodio interesante.

La novela tiene dos núcleos de interés: la corte de los virreyes D. Diego Colón y D.ª María de Toledo, y Enriquillo, el cacique Guarocuya, a quien vemos pasar de niño a hombre, teniendo ante sus ojos el espectáculo de su raza sojuzgada.

El carácter de Guarocuya va acentuándose, hasta que, convencido de la inutilidad de toda gestión pacífica, desesperado él mismo por la injusticia y la afrenta, se transforma en un rebelde señor de sus montañas, para ofrecer a los suyos la libertad que la civilización les negaba.

Eje de esos dos núcleos es Fray Bartolomé de Las Casas, cuya biografía se va insertando gradualmente en la narración, asociándola al hilo de los episodios.

El horizonte histórico no puede ser más vasto. El novelesco

1. *Enriquillo,* primera parte, Santo Domingo, Imp. del P. Billini, 1879; edic. completa, Santo Domingo, Imp. García Hermanos, 1882.

es una derivación de lo histórico, sentimentalmente sobria, un inusitado caso de romanticismo atenuado que fluye con ritmo grave, con dignidad clásica.

Los principales episodios novelescos que así parten de la historia, son los amores de Juan de Grijalva y María de Cuéllar, la muerte de Guaroa, la prueba de los neblíes hecha por Enriquillo ante el Virrey.

Tres partes forman la novela. Comienza evocando la matanza de los caciques en Jaragua, medida de conquista realizada por el Comendador D. Nicolás de Ovando. El autor presenta a Guarocuya niño, con su tía Higuemota, viuda ya de D. Hernando de Guevara. Siguen la aparición súbita de Guaroa, quien se lleva al niño a las montañas; las intrigas de Pedro Mojica para apoderarse de la fortuna de Higuemota; la muerte de Guaroa y vencimiento de Cotubaná; las reclamaciones de D. Diego Colón y la obtención de sus derechos, su matrimonio con D.ª María de Toledo y su venida a la Española con el título de virrey. Comienza en esta parte el episodio de Grijalva y María de Cuéllar.

La segunda parte continúa ese episodio con las intrigas de Pedro Mojica a favor de Velázquez, quien deseaba casarse con la doncella. Como resultado, la separación de los jóvenes: Grijalva se marcha en la expedición de Nicuesa y Ojeda; María de Cuéllar consigue, ayudada por los virreyes, aplazar su boda con Velázquez hasta el término de un año.

Se inicia en esta parte la campaña por la libertad de los indios con el discurso de Fray Antonio de Montesino, y sus gestiones ante el Rey, que originan las ordenanzas de Burgos para mejorar la situación de los indígenas. Termina con la conclusión del episodio de Grijalva y María de Cuéllar: la muerte de ésta en Cuba el mismo día de sus bodas. Grijalva muere poco después a manos de los indios nicaragüenses.

La tercera parte narra el alzamiento de Enriquillo, quien asume la categoría de protagonista. Realizadas, después de algunos obstáculos levantados por Mojica, las bodas de Enriquillo y su prima Mencía; muerto ya el protector del joven, D. Francisco de Valenzuela, su hijo humilla al cacique, lo somete a la dolorosa situación de encomendado, y trata de ultrajar torpemente el honor de Mencía. Enriquillo pide justicia en San Juan de la Maguana, y al no conseguirla, va hasta Santo Domingo con igual resultado. Sin protección inmediata, pues Las Casas se halla en España,

Enrique se marcha con su cuadrilla a la sierra del Bahoruco, solar de sus antepasados. Allí se le unen indios de todas partes, y en rebeldía persistente, se mantiene libre con los suyos durante trece años. Al fin Carlos V le escribe ofreciéndole el perdón y la libertad de los indios. Concentrados en el pueblo de Boyá y sus cercanías, los indios vivieron desde entonces libres, gobernados por Enrique.

3. — Fuentes, estilo e influencias literarias

La fuente principal de la novela es la *Historia de las Indias,* de Las Casas, que Galván cita textualmente a cada paso; siguen en importancia las *Décadas,* de Herrera; las biografías de Fray Bartolomé de Las Casas escritas por Quintana y Remesal; las *Elegías,* de Juan de Castellanos; la *Vida de Colón,* por Washington Irving. En un apéndice, el autor copia los pasajes históricos sobre los cuales elaboró importantes capítulos de la novela.

Hemos señalado ya el sabor clásico de la prosa galvaniana. Las fuentes en que se documentó Galván influyeron en su estilo indudablemente. Su manera de narrar recuerda a Antonio de Solís, mas la contenida melancolía con que describe la extinción de los indígenas, se acerca más a Garcilaso de la Vega (El Inca). Desde luego que no iguala a ninguno de los dos en la corrección y justeza del lenguaje. Mas la mayor parte del tiempo sostiene una prosa elegante y serena.

A veces arranca palabras del texto de Las Casas —una de sus maneras de arcaizar su lenguaje—, anotándolas al mismo tiempo. Así usa y anota "santochado" por idiota o mentecato [1]; "criado", en lugar de protegido; "gruñeron", en el sentido de protestaron.

El arcaísmo, sin embargo, fluye principalmente del asunto, que obliga al autor el uso del vocabulario indispensable para describir la indumentaria y costumbres del quinientos. Pero en esto no pierde Galván el sentido de la medida, y su arcaísmo resulta siempre natural.

Reduce a lo estrictamente necesario el uso de palabras indígenas, otro acierto que contribuye a mantener la armonía de su prosa.

1. *Enriquillo,* Imp. García Hermanos, 1882, pág. 255.

Hechizado por la pasión de lejanía, descuida la descripción de la naturaleza, realidad demasiado cercana. La breve descripción del Lago Dulce [1], o la del camino de Santo Domingo a Concepción de la Vega, apenas si nos dan bosquejos imprecisos del maravilloso paisaje quisqueyano. Veamos este último. Refiriéndose a Las Casas, escribe Galván:

> Deteníase como un niño haciendo demostraciones de pasmo y alegría, ora al aspecto majestuoso de la lejana cordillera, ora a vista de la dilatada llanura o al pie del erguido monte que lleva hasta las nubes su tupido penacho de pinos y *baitoas*. El torrente, quebrando sus aguas de piedra en piedra, salpicando de menudo aljófar las verdes orillas; el caudaloso río deslizándose murmurador en ancho cauce de blancas arenas y negruzcas guijas; el añoso *mamey*, cuyo tronco robusto bifurcado en regular proporción ofrecía la apariencia de gótico sagrario; el inmenso panorama que la vista señorea en todos sentidos desde la cumbre de la montaña, todo era motivo de éxtasis para el impresionable viajero [2].

Las más veces, Galván acude a Las Casas, como en la descripción de la Real Vega [3], entresacada al pie de la letra de la *Historia de las Indias.*

La aproximación estilística a Garcilaso se logra bellamente en el capítulo XIV, que narra la muerte de Guaroa:

> Distinguíase a primera vista la figura escultural de su caudillo, que, abismado en honda meditación, se reclinaba con el abandono propio de las grandes tristezas en el tronco de un alto córvano, de cuya trémula copa, que el sol hacía brillar con sus primeros rayos, enviaba el ruiseñor sus trinos a los ecos apacibles de la montaña. Los árboles, meciendo en blando susurro el flexible follaje, respondían armónicamente al sordo rumor del mar, cuyas olas azules y argentadas se divisaban a lo lejos desde aquellas alturas, formando una orla espléndida al grandioso panorama [4].

---

1. *Enriquillo,* Imp. García Hermanos, 1882, pág. 22.
2. *Enriquillo,* edic. cit., 1882, pág. 141.
3. *Ídem,* íd., págs. 146-147.
4. *Ídem,* íd., págs. 36-37.

La manera como introduce aquí Galván la naturaleza no vuelve a ocurrir en el resto del libro. Acusa un propósito de adecuar el escenario a la acción dramática que sigue: el asalto inesperado de Diego Velázquez y el combate entre ambos caudillos. Velázquez desarma a Guaroa, y entonces:

> Precipitóse Guaroa a recobrar su espada, y habiéndose adelantado a impedírselo un español, el contrariado guerrero sacó la daga pendiente de su cintura, y después de haber hecho ademán de herir al que estorbaba su acción, viéndose cercado por todas partes, se la hundió repentinamente en su propio seno. «¡Muero libre!», dijo, y cayó en tierra exhalando, un momento después, el último suspiro.
>
> Así acabó gloriosamente sin doblar la cerviz al yugo extranjero el noble y valeroso Guaroa, legando a su linaje un ejemplo de indómita bravura y de amor a la libertad [1].

La obra sólo tiene algunos pasajes que recuerdan el arte de Scott. En *Enriquillo* encontramos invertido el procedimiento más feliz del esquema scottiano; los personajes históricos que sabiamente sitúa Scott en segundo término, llenando el primer plano con los novelescos, son en Galván los que resaltan a plena luz, mientras lo novelesco tiene siempre carácter episódico, es derivación a la manera azorinesca de hechos reales. Así pierde la única posibilidad de realizar, hasta donde cabe, una perfecta novela histórica, posibilidad que Larreta aprovechó en *La gloria de don Ramiro*. Al hacer esto, prueba Galván que no estudió la técnica de Scott, y da muestra, al mismo tiempo, de su casi intuitiva visión artística. Pues lo novelesco en *Enriquillo*, y esto es uno de los subidos valores del libro, armoniza bellamente con lo histórico. Tal el episodio de los amores de Grijalva y María de Cuéllar y el de los neblíes de Enriquillo. Examinemos éste.

Herrera cita el envío a Carlos V de 12 halcones desde Santo Domingo. Galván atribuye a Enriquillo conocimientos en cetrería adquiridos del escudero de su padrino Diego Velázquez. El joven va a visitar al Alcázar a su prima Mencía, y Diego Colón le pide que pruebe la destreza de sus neblíes:

---

1. *Enriquillo*, edic. cit., 1882.

> Numerosas gaviotas blancas y cenicientas —escribe Galván— revoloteaban a corta distancia rozando las murmuradoras aguas del Ozama, mientras que a considerable altura sobre los tejados de los edificios, las juguetonas golondrinas se cernían en el espacio diáfano describiendo caprichosos y variados giros.
>
> Enriquillo escogió uno de sus halcones: era un hermoso pájaro de hosco aspecto, ojos de fuego, cabeza abultada y corvo pico; recias plumas veteadas de negro y rojo claro decoraban sus alas y tenía salpicado de manchas blancas el parduzco plumaje de la espalda. El pecho ceniciento y saliente, las aceradas garras que se adherían a las carnosas patas cubiertas de blanca pluma, completaban el fiero y altivo aspecto de aquella pequeña ave que semejaba un águila de reducidas proporciones.
>
> —¿Queréis una gaviota o una golondrina?
>
> —Lanza el pájaro contra la gaviota primero; las sardinas te lo agradecerán.
>
> Enrique hizo un rápido movimiento de inclinación con la diestra hacia el punto que ocupaba una bandada de gaviotas y el inteligente neblí se disparó en línea recta sobre ellas, apoderándose de una y volviendo al joven cacique en menos tiempo del que se emplea en referirlo.

Si en la arquitectura general de su libro Galván no sigue a Scott, se aproxima a él en el logrado color local de algunos episodios y en la feliz reconstrucción del pasado que revive. De sabor scottiano son los capítulos XXIV al XXVI, que narran el encuentro de Diego Colón y D.ª María de Toledo, la petición de mano de la noble doncella y la proclamación formal del compromiso. Intentó sin lograrlo un personaje humorístico a la manera de Scott: el médico que esmalta sus diagnósticos de latines y alusiones a Avicena.

4. — ACTITUD ANTE ESPAÑA

La reacción favorable hacia España, después de los extremos del odio revolucionario, la hemos visto apuntar en la visión equilibrada de la Avellaneda al juzgar la conquista. En *Enriquillo* esta nota se acentúa. Hay, además, evidente propósito de parte del autor de realzar las nobles hazañas de la nación española y afirmar que la crueldad de la conquista fué un hecho de circunstancias propicias al desarrollo de la ambición.

La dedicatoria a D. Rafael María de Labra, que aparece al frente de la edición de 1882, nos dice cómo surgió en él la idea de su libro. Fué en el acto de la proclamación de la libertad de los esclavos en San Juan de Puerto Rico:

> Desde el balcón central del Palacio de la Intendencia, un hombre arengaba con ademán solemne, con sonoro acento, aquella innumerable cuanto silenciosa multitud. Aquel hombre estaba investido de todos los atributos del poder; ejercía la autoridad absoluta de la Isla, era el gobernador, capitán general D. Rafael Primo de Rivera, y en aquel momento cumplía un bello acto de justicia proclamando en nombre de la nación española la abolición de la esclavitud en la hermosa Borinquen. Ruidosos y entusiastas vivas a España terminaron aquella escena sublime [1].

Entonces Galván busca analogías morales en un hecho de los primeros días de la Conquista: recuerda las figuras de Fray Bartolomé de Las Casas y del cacique Enriquillo y forma el propósito de escribir su libro para dedicarlo a la *Sociedad abolicionista española.*

Ante la ambición y los vicios de algunos conquistadores, opone la eficacia civilizadora de los frailes dominicos. En el capítulo final hace una observación que precisa su actitud ante España. Refiriéndose al indio Tamayo nos dice:

> El esforzado teniente de Enriquillo se había convertido de una vez, cuando vió por los actos de Hernando San Miguel

1. *Enriquillo,* edic. cit., pág. 1.

y Francisco de Barrionuevo, que los mejores soldados españoles eran humanos y benévolos, y por la carta de gracia de Carlos V a Enriquillo, que los potentados cristianos verdaderamente grandes eran verdaderamente buenos [1].

Esta actitud, que anticipa la valoración positiva de lo que en nuestra cultura constituye lo invulnerable español, valoración realizada en la época modernista por nuestros pensadores —Rodó en primer término— constituye uno de los aspectos más sugestivos del *Enriquillo.*

5. — José Martí y "Enriquillo"

La lectura de *Enriquillo* produjo en Martí admiración emocionada. Él, de juicio tan equilibrado cuando comenta a Whitman y a Wilde, aquí sólo sabe anotar frases admirativas:

> ¡Qué Enriquillo, que parece un Jesús! ¡Qué Mencía, casada más perfecta que la de Fray Luis! ¡Qué profundidad en la intención! ¡Qué transparencia en las escenas! ¡Qué arte en todo el conjunto que baja al idilio cuando es menester y se levante luego sin esfuerzo y como esfera natural a la tragedia y la epopeya! [2].

Martí encuentra, en el lenguaje de la novela, castidad y donosura; en la presentación de los caracteres, "maestría, justeza y acabamiento". Ve en el libro reunidos novela, poema e historia.

El capítulo VI, donde el niño Guarocuya es proclamado rey, su paso a través de la cordillera, ya a pie, ya en brazos de los compañeros de Guaroa, hizo vibrar en Martí su innata ternura por los niños. Del capítulo XI toma la imagen de Las Casas "sin armas, vestido con jubón y ferreruelo". Todavía en el capítulo XII encuentra más detalles sobre el niño: agilidad, buen humor, desagrado cuando lo llevaban en hombros. De aquí recoge también el detalle del beso con que Las Casas saluda al niño. Todo queda

1. *Enriquillo,* edic. cit., pág. 224.
2. *Carta a Manuel de J. Galván,* inserta en *Obras completas,* La Habana, edic. Gonzalo de Quesada, 1914, XIII, 315-316.

en la memoria de Martí, y, cuando en *La Edad de Oro*, revista fundada exclusivamente para los niños, quiere dar a conocer a sus lectores infantiles el apostolado de Las Casas, revive para ellos la visión amable del niño indio:

> Lo mejor era irse al monte con el valiente Guaroa y con el niño Guarocuya, a defenderse con las piedras, a defenderse con el agua, a salvar al reyecito bravo, a Guarocuya. Él saltaba el arroyo, de orilla a orilla; él clavaba la lanza lejos, como un guerrero; a la hora de andar, a la cabeza iba él; se le oía la risa de noche como un canto; lo que él no quería era que lo llevase nadie en hombros. Así iban por el monte cuando se les apareció entre los españoles armados el Padre Las Casas, con sus ojos tristísimos, en su jubón y ferreruelo. Él no disparaba el arcabuz, él les abría los brazos. Y le dió un beso a Guarocuya [1].

No podía escapar a Martí el sentido simbólico del noble cacique. En su ensayo, *Heredia,* alude a él como enseñanza impresa en el suelo dominicano:

> Santo Domingo, semillero de héroes, donde aun en la caoba sangrienta y en el cañaveral quejoso y en las selvas invictas, está como vivo, manando enseñanzas y decretos, el corazón de Guarocuya [2].

6. — "ENRIQUILLO", SÍMBOLO NACIONAL

El cacique del Bahoruco representa para la nación dominicana el símbolo más alto de civismo y dignidad. Los principales juicios de autores dominicanos que del libro de Galván han llegado hasta nosotros, concuerdan con esta interpretación.

Inicia el símbolo Galván mismo, quien en su novela, no sólo realza el noble carácter de Guarocuya tal como la historia lo muestra, sino que lo idealiza con perfiles de refinamiento que aquél acaso no poseyó. Además, va modelando gradualmente las ansias

---

1. MARTÍ, *El Padre Las Casas. Páginas escogidas,* Paris, Garnier, s. a., pág. 254.
2. *Ídem, id.,* pág. 143.

de libertad de Enriquillo, dándoles una amplitud que no desentona con lo que sabemos del héroe, pero que tampoco tiene validez histórica.

La primera lección la recibe el niño Guarocuya a los siete años, cuando su tío Guaroa, tratando de convencerlo de que lo siga a las montañas, le muestra un andrajoso naboría que crúza la pradera con un haz de leña y le dice:

> —Dime, Guarocuya, ¿quieres ser libre y señor de la montaña, tener vasallos que te obedezcan y te sirvan, o quieres cuando seas hombre cargar leña y agua como aquel vil naboría que va allí? [1].

Educándose con gran provecho en el convento de franciscanos de Verapaz, el adolescente muestra predilección por la rebeldía de Viriato y su alzamiento contra los romanos [2].

Un poco más tarde Galván pone en sus labios estas palabras:

> «Mientras los de mi nación sean maltratados, la tristeza habitará aquí», palabras que subraya con la mano sobre el pecho.

Galván introduce el matiz apostólico en la insurrección de Enriquillo, cuando dice comentando una de sus victorias:

> Enriquillo no quiere matanza ni crímenes. Quiere tan sólo, pero quiere firme y amorosamente su libertad y la de todos los de su raza. Quiere llevar consigo el mayor número de indios armados, dispuesto a combatir en defensa de sus derechos; de derechos que los más de ellos no han conocido jamás y que es preciso ante todo hacerles concebir y enseñárselos a definir. Y este trabajo docente, y este trabajo reflexivo y activo, lo hacen en tan breve tiempo la prudencia y energía de Enriquillo y Tamayo combinadas [3].

No rechaza Enriquillo las elevadas enseñanzas que ha aprendido de los españoles; todas las noches congrega a sus vasallos

1. *Enriquillo,* edic. cit., pág. 7.
2. *Ídem,* íd., pág. 52.
3. *Ídem,* íd., pág. 290.

para rezar el rosario de la Virgen. Pero en el instante de la defensa, cuando Valenzuela y Mojica van a buscarlo a su retiro con fuerza armada, se adelanta a ellos "transfigurado, altivo, terrible".

El autor, comentando el alzamiento, amplía la interpretación nacionalista dándole un carácter continental:

> El alzamiento de Bahoruco aparece como una reacción; como el preludio de todas las reacciones que en menos de cuatro siglos han de aniquilar en el Nuevo Mundo el derecho de conquista [1].

Las últimas palabras de la novela afirman el símbolo sobre las montañas de Bahoruco, el más bello monumento al recuerdo de Enriquillo:

> Este nombre vive y vivirá eternamente: un gran lago lo perpetúa con su denominación geográfica [2]; las erguidas montañas del Bahoruco parece como que lo levantan hasta la región de las nubes y, a cualquier distancia que se alcance a divisarlas en su vasto desarrollo, la sinuosa cordillera, contorneando los lejanos horizontes, evoca con muda elocuencia el recuerdo glorioso de Enriquillo.

Definido ya el símbolo, los intelectuales dominicanos lo acogen y acentúan. Federico García Godoy (?-1923) ve en *Enriquillo* serenidad, armonía; la describe como obra "clásica por el pensamiento, por la forma y por el estilo" [3]. Señala el parentesco de la novela por el corte y por el estilo con obras parecidas de las mejores épocas de la literatura española. Ve también la manera artística, hasta donde cabe, con que lo novelesco armoniza con lo histórico.

Creemos que acierta García Godoy en cuanto al clasicismo de forma y estilo en *Enriquillo*. No así en el pensamiento, que nos parece, como hemos tratado de demostrar, esencialmente romántico.

Se detiene García Godoy ante el símbolo. Sintetiza Enriquillo para él "un momento histórico de efectiva importancia". Y añade:

1. *Enriquillo,* edic. cit., pág. 213.
2. El antiguo lago de *Caguaní,* hoy *Enriquillo.*
3. *La literatura dominicana,* en «Revue Hispanique», Paris-New York, 1916, XXXVII, 82-83.

> Es un tipo representativo que condensa bella y eficazmente los dolores, los infortunios, las amarguras, los heroísmos de un pueblo que parecía tocado ya de irremediable decadencia. Ese libro es, y seguirá siendo, a lo que pienso, la más fiel y artística evocación de la época en que empieza a incubarse nuestro destino histórico. Y, como dice el gran Martí, será, en cuanto se le conozca, cosa de toda América.

José Joaquín Pérez, en el prólogo que escribió para la edición de 1882, alude también al simbolismo del cacique:

> Enriquillo es un símbolo y una enseñanza. Es el símbolo perfecto de los oprimidos de cuantas generaciones han venido batallando contra ese inmenso océano de tempestades que se llama la vida. Sufriendo por él, y más que por él por los hermanos en quienes se cebaba la codicia, la ambición y la ruindad de todas las pasiones que engendra el egoísmo, es la imagen de la Humanidad, que viene derramando lágrimas y sangre en cada etapa de la sucesión de los tiempos, para levantarse un día y otro día a conquistar sus derechos. Diríjase una mirada al vastísimo campo de la Historia, y desde Espartaco hasta John Brown y Lincoln se verá reflejado el espíritu que animó al infortunado último cacique de la extinta raza de Haytí.

El símbolo ha tomado aquí carácter de universalidad. Inicia, además, J. J. Pérez el paralelo de Enriquillo con los libertadores de esclavos de la Historia, que se repetirá en críticas posteriores.

El intento más serio de interpretación que hemos encontrado de la novela es de Manuel F. Cestero [1]. En su crítica aporta estas nuevas observaciones: Galván tiene presente la actualidad dominicana en el momento de escribir su obra; la agonía y degradación de los tiempos de la independencia y la restauración después del período anexionista. No retrata sólo las llagas de la sociedad dominicana, sino de toda Hispanoamérica.

Amplía el paralelo entre Enriquillo y Lincoln; como Lincoln suprimió la esclavitud, pero la suplantó el imperialismo *yankee,* así en la Española se suprimió también, pero la suplantó la tiranía de los presidentes dominicanos.

1. Manuel F. Cestero, *Ensayos críticos: Enriquillo,* La Habana, Cuba Contemporánea, 1917, XIII, 316-337.

La aplicación del episodio de Enriquillo a la actualidad dominicana había sido insinuada por el autor mismo en la reseña retrospectiva al frente de la tercera edición de su obra [1]. Refiriéndose a los apologistas del cacique dice:

> No miraron a las convenciones circunstanciales en aquellos días de pasión y de lucha para reforzar con su franca adhesión las conclusiones que en el *Enriquillo* se deducen de yerros pasados, como admoniciones aplicables a yerros análogos de aquella actualidad, cuyos efectos, previstos entonces, han adquirido ya el sello de lo irremediable.

Cuando Galván escribe estas líneas es por segunda vez un desterrado voluntario en Puerto Rico a causa de los sucesos políticos desarrollados en Santo Domingo de 1903 a 1905. Quiere mostrar imparcialidad absoluta ante los nuevos sucesos. Y en esta edición suprime la dedicatoria a don José María de Labra, hecho que nos parece absurdo, y el prólogo de José Joaquín Pérez.

Con esas páginas, Galván interpreta su libro como "la expresión del anhelo de los que aspiran al reinado de la fraternidad y la justicia en todos los pueblos de habla española".

Cestero va mucho más lejos. Una sección de su ensayo se titula *La filosofía de Enriquillo,* que sintetiza así:

> La naturaleza para el hombre es la razón. La felicidad consiste en vivir según la naturaleza. Nuestro bien y nuestro mal están en nuestra voluntad. Un mismo derecho y una misma ley, la filantropía, la solidaridad en el bien; tal es la filosofía que se desprende de *Enriquillo.*

Testimonio del entusiasmo que en los dominicanos suscitó *Enriquillo* desde su publicación es el artículo de Federico Henríquez y Carvajal contestando a una encuesta de la revista *Letras,* que dirigía Horacio Blanco-Fombona en Santo Domingo. La encuesta se formulaba así: "¿Cuál es la mejor de las obras nacionales en prosa?"

Federico Henríquez afirma en ese artículo [2] que *Enriquillo*

1. Barcelona, Vda. de J. Cunill, 1909.
2. *Letras,* Santo Domingo, agosto 1918.

cuenta "con la consagración de no escaso número de votos en sucesivas generaciones literarias dominicanas". Recuerda cambios de impresiones en que la opinión le fué favorable en una larga enumeración de nombres, entre los cuales están Francisco Gregorio Billini, Salomé Ureña de Henríquez, Eugenio Deschamps, Gastón F. Deligne y Félix E. Mejía. De Mejía copia unos párrafos de reacción sentimental:

> El libro me apasiona y mis ojos se nublan de tristeza o arden de indignación al recorrer sus páginas. Porque enseña y deleita, porque crea y no mata. Porque canta, nueva *Ilíada,* la etapa culminante de la primera epopeya quisqueyana. Por todo eso téngola por la mejor obra nacional en prosa.

La generación modernista, representada por Ricardo Pérez Alfonseca, cincela con los últimos toques el símbolo estatuario. En el prólogo que Pérez Alfonseca escribe para el poema *Guarocuya* [1], de Henríquez y Carvajal, dice cómo, "para contemplar a Guarocuya con esa mirada cíclica que compendia en la cabalidad de sus destinos a un hombre que es un pueblo, es necesario tener las pupilas acomodadas a lo infinito".

Pérez Alfonseca ve también al héroe sobre la cordillera del Bahoruco, "hombre con pies de monte o monte con cima de hombre". Ve las páginas de Galván como núcleo de una cordillera ideal, "en que sobre los horizontes de la historia se empina, martirizada, heroica y libre al fin, la raza quisqueyana".

7. — "Enriquillo", en la literatura

En dos obras más el cacique de Bahoruco es elevado al plano de la ficción literaria. Antecesor de Galván fué, en este aspecto, Marmontel [2]. En su novela *Les Incas* introduce a Enriquillo, quien viene a visitar a Las Casas, enfermo en Santo Domingo. Cuando lo anuncian, Las Casas se dirige a Pizarro y dice:

> Vous allez voir un cacique qui, s'etant retiré depuis plus

1. *Guarocuya. Monólogo de Enriquillo,* Santo Domingo, Imp. Montalvo, 1924.
2. *Les Incas,* edic. cit., págs. 136-140.

dix ans dans les montagnes de l'ile, y s'y conduit avec une valeur et une bonté sans exemple.

En 1924 Federico Henríquez y Carvajal publica su poema *Guarocuya.* El cacique aparece enfermo, próximo a la muerte en su casa de Boyá. En ese instante pasa por su memoria su vida toda que él comenta en monólogo interior. El poeta le atribuye estas palabras finales que recuerdan el último párrafo de la novela de Galván:

> La casta de los caciques
> conmigo baja a la tumba;
> mas queda, como una síntesis
> y al aire libre se encumbra,
> erecta sobre las lomas
> señoreando la altura,
> al mar Caribe de frente
> de espaldas a la laguna,
> ejemplo de patriotismo
> la estatua de Guarocuya.

8. — El autor de "Enriquillo"

La importancia de la obra de Galván exige una biografía elaborada con disciplina y precisión. Esa biografía no se ha escrito aún. Requeriría una investigación llena de obstáculos, por estar los documentos necesarios dispersos en revistas y periódicos dominicanos coleccionados en bibliotecas particulares de acceso casi imposible.

Recogemos, sin embargo, algunos datos apuntados al margen de lecturas, y sobre todo, obtenidos directamente de Federico Henríquez y Carvajal, uno de sus más devotos amigos.

La vida de Galván se desenvuelve limitada por las fechas de 1834 a 1910. No estudió sistemáticamente en ninguna Universidad. Obtuvo la investidura de licenciado en leyes por acto de la Suprema Corte de Justicia, en una época en que el Instituto Profesional de la República estaba clausurado.

Inició su carrera como secretario de D. Felipe Dávila Fernández de Castro, enviado a Europa en comisión plenipotenciaria en 1855.

Fué partidario de la reanexión de su país a España, que se consumó por Santana y O'Donnell en 1861. De 1863 a 1865 fué secretario del Gobierno Civil de Santo Domingo. Declarada de nuevo la independencia, marcha a Puerto Rico, todavía colonia española, y allí ocupa el puesto de Intendente de la Real Hacienda. Regresa a su país en 1874, después de haber compartido los años de destierro entre España y Puerto Rico.

Fué Secretario de Relaciones Exteriores en 1876, bajo la presidencia de Espaillat, y en 1879-1880, durante el gobierno de Cesáreo Guillermo. En 1892 declaró su adhesión a la causa libertaria de Cuba. Conoce entonces a Martí, quien había ido a la Isla a conferenciar con Máximo Gómez sobre sus planes revolucionarios.

Con Federico Henríquez y Apolinar Tejera trabaja en el Instituto Profesional de la República en 1895. Fué vicerrector de ese Instituto bajo el rectorado de Billini.

Cuando en 1904 fué derrocado el gobierno de Wos y Gil, Galván era secretario de Estado. De nuevo abandona el país voluntariamente y se establece en Puerto Rico, hasta el año 1910, en que muere repentinamente en la ciudad de San Juan. Está enterrado bajo sencillo mármol en la Capilla del Santísimo Sacramento de la Catedral de Santo Domingo. La inscripción dice estas palabras: "Manuel de Jesús Galván. Falleció en San Juan de Puerto Rico en 1910. Sus restos fueron trasladados a Santo Domingo en marzo de 1917."

Además de *Enriquillo,* su única obra literaria, Galván realizó intermitente labor periodística. Durante el período anexionista fué uno de los redactores de "La Razón", semanario de aquel Gobierno, que se publicó de 1862 a 1863. Colaboraba de vez en cuando en periódicos dominicanos: en "El Eco de la Opinión", "El Teléfono", "Letras y Ciencias", "La Cuna de América", "Revista Literaria" y "La Crónica".

NOVELAS POEMÁTICAS

CAPÍTULO IX

NOVELAS BREVES EN LAS ANTILLAS

Dentro de la clasificación de novelas poemáticas indianistas incluímos aquellas de tendencia marcadamente lírica, constituídas por los elementos siguientes:

a) Amor entre una indígena y un español, o con menos frecuencia entre dos personajes indios.

b) Descripciones de la naturaleza lindando con el poema en prosa.

c) Color local, más o menos logrado, describiendo las costumbres, mitología y supersticiones indias.

d) Himnos en prosa o verso, en el tono de los yaravíes del *Ollantay*, epitalámicos o heroicos.

Los autores de estas novelas son los que siguen más de cerca a Saint-Pierre y Chateaubriand y la tradición humboldtiana de literatura descriptiva de la naturaleza para decorar las escenas de amor, de guerra y de superstición.

Novelas de tipo esencialmente idealista en la caracterización de los personajes capitales —creaciones artificiosas muchas veces como los pastores de la bucólica renacentista— que se mueven, no en un escenario idílico, sino lleno de selva, tormentas, cegadora luz.

Las dos novelitas más antiguas de carácter poemático que hemos encontrado en nuestro estudio son *Matanzas* y *Yumurí*, del cubano Ramón de Palma y Romay (1812-1860), y *Nehzula*, del mexicano José María Lafragua, de que nos ocuparemos más adelante.

La novela de Palma y Romay [1] es única en su género en la

1. Publicada en *Aguinaldo habanero*, La Habana, 1837, pág. 113; en *Evolución de la cultura cubana*, La Prosa, II, 3; en *Cuentos cubanos*, Cultural, S. A., La Habana, 1928.

literatura cubana, que no produjo en época posterior ninguna obra indianista superior a ésta.

Todos los elementos de la novela poemática están en *Matanzas y Yumurí* de manera abreviada: descripciones de la naturaleza, idealización de los protagonistas Ornofay y Guarina; costumbres indígenas en bodas y funerales, supersticiones.

La acción tiene por fondo el hermoso Valle del Yumurí. El héroe Ornofay está adornado de tan eminentes prendas "que en vano se buscaría por todas las provincias de Cuba mancebo alguno que le igualase". Ornofay ama a Guarina, hija del cacique Guaimacán. Se celebran las bodas, pero un episodio trágico destruye el poblado indio. Un mes antes un buque español había naufragado cerca; el capitán, su mujer e hija permanecieron con los indios. El *behique* (sacerdote) se enamora de la doncella. Doce españoles atacan inesperadamente el pueblo. El *behique* huye a los bosques llevando en brazos a la española. El capitán persigue a Guarina, quien se abraza a una palmera y muere herida por la espada del español diciendo: "¡Yumurí!" Ornofay, también herido, se arroja al río con el cadáver de su amada.

Las descripciones de la naturaleza ensayan la transcripción del ambiente tropical:

> Era por la tardecita, cuando la vergonzosa maravilla abre su cáliz perfumado y el cocuyo luciente revolotea en los aires buscando el almíbar de las flores, y convierte todo el espacio en cielos estrellados [1].

El dominicano Alejandro Angulo Guridi [2] compuso en La Habana, 1843, otra novelita inspirada en los indios cubanos, que no hemos visto, superior, según el erudito crítico J. M. Eligio de la Puente [3], a la obra de Palma.

Más pobreza aún de la literatura indianista encontramos en Puerto Rico. En la época romántica sólo hay una obra de algún interés, *La palma del cacique* [4], por Alejandro Tapia y Rivera

1. Véase *Cuentos cubanos*, edic. cit., págs. 4-20.
2. *Los amores de los indios*, Villa Clora, Imp. del Eco, s. a.
3. Véase el prefacio escrito por Eligio de la Puente para *Cuentos cubanos*, edic. cit.
4. Incluída en *El Bardo del Guamaní*, La Habana, Imp. El Tiempo, 1862.

(1827-1882). Al finalizar el siglo XIX y a principios del actual, Cayetano Coll y Toste escribió entre sus leyendas algunas indias [1].

Eso es todo hasta 1924, en que José González Ginorio publica su novela histórica *Tanamá* [2].

La breve novela de Alejandro Tapia [3] narra la lucha y vencimiento de los indios boricanos bajo el mando de Agueinaba y el amor romántico del cacique Guarionex por Loarina, quien está enamorada de Cristóbal Sotomayor, uno de los conquistadores de la isla. Sotomayor muere en un encuentro con los indios; poco después también cae Guarionex peleando por los suyos. Guarina entonces se ofrece a ser enterrada viva con el cacique, ya que no teniendo aquél esposa, la costumbre india no podía cumplirse. Años después nace una palma en el lugar de la tumba de Guarionex, "la palma del cacique".

La narración es menos ágil que la de Palma y tocada de sentimentalismo excesivo. Así, pues, la tradición indígena puertorriqueña, que como la de Santo Domingo fué cantada en una de las *Elegías* de Juan de Castellanos [4], no tuvo en la literatura el bello destino que tuviera la de aquella isla.

---

1. San Juan, Editorial Santurce Printing Works, 1924; Editorial Puerto Rico Ilustrado, San Juan, 1924.
2. San Juan, Cantero Fernández, 1924.
3. Véase *El Bardo de Guamaní,* edic. cit., págs. 170-203.
4. Elegía sexta.

CAPÍTULO X

LA NOVELA INDIANISTA EN VENEZUELA: JOSÉ R. YEPES

El mismo año en que Rosa Guerra publicaba su novela *Lucía de Miranda* (1860) escribió el venezolano José Ramón Yepes (1822-1881) la novelita *Anaida,* que, por la lírica exaltación del paisaje, es lejano antecedente de *Doña Bárbara,* la moderna novela de Rómulo Gallegos.

Escribió Yepes otra novela indianista: *Iguaraya.* En ambas la imitación de Chateaubriand alcanza momentos felices; las descripciones de paisajes son tropicales, fuertes de color y verdad. Se anticipa Yepes en su estilo a sus contemporáneos; cuando escribe versos tiene, en algunas composiciones, *La ramilletera,* por ejemplo, el atrevimiento y la flexibilidad rítmica del modernismo. Es curioso el título del periódico que funda hacia 1862, *El rayo azul* [1].

La Revista, periódico editado en Caracas, en su número del 1.º de junio de 1872 anuncia la publicación de las dos novelas en esta forma:

> Hemos recibido de nuestro amigo José R. Yepes, inspirado vate de los mares, una bellísima novela con el título de *Iguaraya,* que forma el segundo cuadro de sus *Estudios americanos.* Mas como el primero de éstos es poco conocido, a causa de haber sido publicado en un periódico de Maracaibo de escasa circulación, hemos resuelto darlo a conocer a nuestras lectoras

---

1. Amplias noticias biográficas sobre Yepes pueden leerse en el estudio de JULIO CALCAÑO, *Parnaso venezolano,* Curazao, Imp. Bethencourt e hijo, VII, y en la introducción a *Novelas y estudios literarios,* del autor, Maracaibo, Imp. Americana, 1882.

esperando complacerlas con esta reproducción y preparar sus ánimos para leer con mayor placer el segundo, anotado por uno de nuestros colegas que nos ha ofrecido hacer aquel trabajo, para mejor inteligencia de los términos indígenas empleados por el poeta.

1. — "Anaida"

El primer estudio a que alude *La Revista* es *Anaida,* que, con *Iguaraya,* pinta las costumbres y los mitos de las tribus a orillas del lago Maracaibo. No hay aquí conflicto de razas ni propósito trascendente. Ambas narraciones no sobrepasan los límites de lo pintoresco en el paisaje y en la vida de los indios. La preocupación del autor es hacer sus heroínas semejantes a Atala.

Dos párrafos de *Anaida* nos muestran cómo los ojos de Yepes estaban educados para ver la naturaleza. Describiendo la isla de Bajo-seco dice:

> Lámina de tierra salpicada de conchas marinas, estaba cubierta de espesos manglares y elevados cocoteros; éstos, mirando al mar con sus penachos verdes; aquéllos, estancando las aguas del lago para retratar en sus espejos inmobles y silenciosos, nidadas de palomas, pajarillos de mil colores, y negras serpientes entrelazadas en su ramaje [1].

El mediodía tropical aparece descrito con trazos realistas:

> Era mediodía; una atmósfera pesada y sofocante retenía en sus chozas al común de la gente india; algunos guerreros fumaban silenciosos el calumel salvaje a la sombra de los cocales; otros se bañaban en los remansos del lago. La luz del sol, como un reguero de chispas en las hornazas de carbón, brillaba espléndida; ni soplaba el viento, ni se oía el apacible murmurio de las olas. El cielo semejaba una gran bóveda de piedra azul, recalentada al fuego de los cíclopes de la zona tórrida [2].

1. Yepes, *Novelas y estudios literarios,* Maracaibo, Imp. Americana, 1882, pág. 12.
2. *Ídem,* íd., pág. 21.

El asunto de *Anaida* es el siguiente: una tempestad la sorprende en la selva. Las tinieblas y la lluvia la hacen perder el rumbo cada vez más; encuentra a Turupén, joven guerrero que la ama y de quien ella huye siempre. Turupén la protege durante la noche, sosteniendo una lucha con un tigre, que mata ante los ojos de la doncella. Así conquista el corazón de Anaida, y los zaparas se disponen a celebrar la unión de los enamorados, cuando el vidente Guaitara anuncia que Aruao, de la tribu de los aliles, ha clavado su flecha de desafío en una palmera de la selva.

Todos saben lo que esto significa: Aruao ama a la virgen zapara, y desafía a Turupén. Éste acepta el reto y va al bosque a preparar sus flechas. Aruao, ayudado por el indio Chaina, roba a Anaida con el propósito de llevarla a su tribu. Cuando Turupén viene a encontrar a su enemigo, tropieza con Chaina que lleva a la joven. Hay una lucha entre los dos, y Turupén mata a su contrario. Aruao se acerca entonces, y después de una larga contienda "ambos se desploman en silencio, y en un mar de sangre vinieron al suelo como dos estatuas de piedra...".

Aruao muere. Turupén vuelve de su desmayo en los brazos de Anaida. Los guerreros zaparas cantan el himno del triunfo arrancando flores y derramándolas sobre los amantes.

El epitalamio que cantan los zaparas celebrando a "la pareja del amor", está escrito a la manera de Chateaubriand, pero tiene imágenes más alegres que los himnos de *Los natchez:*

Un anciano:

> Cantad las alegrías de los hijos del desierto, vírgenes de la tribu. Que se abra el corazón de los guerreros a la esperanza del amor, como las flores nocturnas a las brisas del mar y a los rayos del sol que aprieta la espiga y sazona el grano en los maizales.

Una matrona:

> ¿Adónde está la dichosa pareja orgullo de los zaparas? Hela allí descansando como las aves peregrinas después de la tormenta. Cantad su dicha, vosotros los flecheros que, niños

aún, manejáis el arco para defender la choza del anciano y la tumba de vuestros mayores.

Un niño:

Anaida y Turupén se aman como dos palmeras amigas que la misma onda retrata.

Un guerrero:

La tribu del palmar dió un guerrero fuerte, como el yagrumo que se agarra a las entrañas de la tierra.

Una virgen:

Dió una virgen como el arco de mil colores con que Amariba ciñe el cielo cuando sacude su cabellera para fertilizar los campos.

Coro:

Poraucas del desierto, matronas de los zaparas, vírgenes de negros ojos, cantad los amores de Anaida y Turupén nacidos en una noche de tormenta [1].

Rasgos chateaubrianescos son también la melancolía de Anaida y Turupén, el episodio de Anaida recogiendo los huesos de su último hermano y la escena de la tempestad.

1. *Novelas y estudios literarios*, edic. cit., págs. 28-29

2. — "Iguaraya"

Iguaraya está ejecutada con más perfección. La fecha en que se escribió esta segunda parte de *Estudios americanos* no hemos podido precisarla. Picón Febres [1] da el año 1879. Pero la *Revista* ya citada la publica como folletín desde el número de agosto de 1872. En una nota que precede al primer capítulo, Yepes dice que compuso *Iguaraya* muchos años atrás. Probablemente fué escrita poco después que *Anaida*, ya que en el estilo de ambas novelas no hay la diferencia que se nota entre producciones de un mismo autor separadas por un lapso considerable de tiempo.

El asunto tiene el hechizo de una leyenda oriental. Iguaraya, que lleva el nombre de la fruta que roba al Sol su color de sangre, es hija del cacique Paipa. Al nacer la niña, los adivinos sacaron un pronóstico terrible de una pequeña piedra caída del cielo: Iguaraya no podría casarse sino con el valiente que, al disparar su flecha, la clavara en el cielo.

Taica es uno de los enamorados de Iguaraya. Pero el cacique, lleno de egoísmo paternal, ha jurado, sobre los huesos de su padre, no quebrantar el agüero de los adivinos. Taica, desesperado, intenta suicidarse, precipitándose desde su *coyuco* en la laguna. La luna iluminaba las aguas a través de palmeras y manglares. El guerrero reaparece entre las ondas con el impulso de vivir: la luna le ha inspirado un medio para vencer a Paipa.

Ante el concurso de toda la tribu, mientras los adivinos en las copas de los ceibas observan los presagios, Taica dispara su flecha a lo alto, que desaparece y vuelve a caer en dirección a la tierra. Todos creen perdido al guerrero. Pero Chaina, el más viejo de los adivinos, dice:

> Taica ha realizado la voluntad de la zorra nuestra madre, clavando su flecha en el cielo que en este instante asoma su cara sobre las dormidas aguas.

La flecha estaba clavada en la arena del fondo, donde se re-

---

1. Gonzalo Picón Febres, *La literatura venezolana en el siglo XIX*, Caracas, Empresa El Cojo Ilustrado, 1906, pág. 377.

trataba el cielo. Al verse burlado, Paipa hunde su cuchillo de pedernal en el corazón. Iguaraya lanza un grito de angustia y queda loca para siempre; Taica, proclamado cacique, "jamás vuelve a reír ni a llorar".

Hay aquí, como en *Atala,* un voto que origina la catástrofe. Picón Febres [1] observa que lo que más imitó Yepes de Chateaubriand fueron las descripciones de la naturaleza. Sin embargo, la prosa de Yepes no alcanza nunca el ritmo, casi solemne, de Chateaubriand. No hay melancolía en sus descripciones de la naturaleza, sino fuerza y color. Salvo los protagonistas, a quienes atribuye refinamientos imposibles, los demás indios actúan con el primitivismo de su condición. Y es que Yepes estudió directamente a sus indios cuando se documentaba para escribir el poema *Los hijos del Parayauta,* que dejó inédito.

Venezuela fué uno de los países hispanoamericanos donde la corriente indianista tuvo más cultores. Picón Febres [2], al estudiar este punto, enumera a los poetas indianistas, entre los cuales dos son contemporáneos de Yepes. Fermín Toro (1807-1863) y Francisco Guaycapuro Pardo (1829-1872) escribieron poemas en serie y en tono elegíaco sobre los indios. No hemos podido leer *Las indianas,* de Pardo, a quien Pedro Henríquez Ureña menciona entre los mejores poetas del indianismo [3]. De las elegías de Fermín Toro, tituladas *Hecatonfonía,* se han publicado fragmentos en el *Parnaso venezolano,* impreso por Bethencourt e hijo [4]. En ellas Toro canta la grandeza de las ruinas de México y Centroamérica, las de Quiché, Cholula y Palenque. El canto segundo describe el desfile de los pueblos peruanos al Cuzco, convocados por el Inca, y llenos de terror ante los presagios que anuncian la llegada de los españoles. A pesar de la distancia, todavía en las descripciones de Toro se marca la huella ercillana:

El de Paltas, veloz en la carrera,
aljaba de turquesas, flechas de oro
mostraba ufano, y de feroz pantera
la piel al hombro por mayor decoro.

1. *La literatura venezolana en el siglo XIX,* edic. cit., págs. 275-280.
2. *La poesía india y la criolla, La literatura venezolana en el siglo XIX,* edic. cit., págs. 233-234.
3. *Horas de estudio,* Paris, Garnier, 1909, pág. 223.
4. Curazao, 1888, I, 41-59.

De Cajamarca el jefe poderoso,
del Inca deudo y su primer valido,
de sus *yungas* al orden majestuoso
acaudillaba el séquito lucido.
Lleva de plata reluciente cota,
la pica de oro, premio del monarca,
y en el casco la trémula garzota
las blancas plumas sobre el hombro enarca.

CAPÍTULO XI

MÉXICO: NOVELAS POEMÁTICAS

Hemos clasificado a tres de las novelas mexicanas como poemáticas porque lo histórico en ellas es factor secundario, y en cambio el amor y las descripciones de la naturaleza en tensión romántica constituyen lo primordial.

1. — "Netzula"

La primera y la más antigua obra en su clase que hemos encontrado en Hispanoamérica es una novela corta, titulada *Netzula* [1], escrita por José María Lafragua (1813-1875) en 1832.

El momento histórico es el de los últimos tiempos del reinado de Moctezuma. Ixtlou, terrible guerrero, se había retirado a una cueva de las montañas "porque no quería presenciar la esclavitud de su patria". Su esposa Octai y su hija Netzula saben su refugio, aunque el autor no explica por qué están separadas del guerrero. Netzula visita en las noches a su padre. En una de esas visitas encuentra a Ogaule en el bosque y lo conduce a la gruta de Ixtlou. Ogaule es el padre de Oxfeler, el más valiente defensor de los aztecas. Se conviene en que Netzula se casara con Oxfeler.

Un día en que la joven pasea por su jardín, se le acerca un guerrero y le describe, de manera altisonante, una reciente batalla. La joven lo invita a descansar: se enamoran mutuamente. Pero

1. *Novelas cortas de varios autores del primer tercio del siglo XIX*, Biblioteca de Autores Mexicanos, México, Imp. de V. Agüero, 1901, vol. XXXIII, págs. 265-306.

Netzula está comprometida con Oxfeler y no puede alentar este amor. El conflicto lleva a ambos a la desesperación.

En las últimas páginas se describe la derrota de los indios. Utali, hermano de Netzula, y Oxfeler, se han retirado heridos a un bosque. Llega Netzula y reconoce en Oxfeler a su héroe del jardín. Los españoles vienen en este instante y completan su obra de destrucción sacrificando a los guerreros, y con ellos a Netzula.

El autor quiso expresar el patetismo de la derrota azteca sin lograrlo. Quiso crear en Netzula una Atala atormentada por un conflicto de amor que origina de manera artificiosa, haciendo que la joven no identifique a Oxfeler hasta el final.

Quiere Lafragua que su protagonista se parezca a Atala cuando escribe:

> La noche estaba serena: la luna brillaba en toda su luz, y la hija del guerrero caminaba tímida y silenciosa a visitar al héroe: vestida de blanco y suelto el cabello, se estremecía al oír el ruido de la yerba que movía con sus pasos, y la sombra de los árboles, que se agitaba pausadamente con la brisa, la hacía temblar [1].

Y en otro párrafo:

> La hija de Ixtlou sentía arder sobre su frente la fiebre que la conducía a la tumba; pero no queriendo afligir a su padre, callaba y miraba la muerte como el lecho de su descanso, el asilo contra la tormenta [2].

No logra su propósito el autor de esta aspirante a Atala, que no tiene más interés que el de preceder cronológicamente en México y en Hispanoamérica a una de las corrientes de la novelística romántica.

---

1. *Netzula,* edic. cit., pág. 266.
2. *Idem,* íd., págs. 301-302.

2. — "Historia de Welinna"

Las otras dos novelas poemáticas presentan una novedad: junto a los elementos estudiados como característicos ocupa el primer plano un aspecto que en los demás tiene menos o ninguna importancia: la propaganda católica, la apología de los misioneros de la Conquista. Se trata de un indianismo religioso que lleva a los autores a describir líricamente la conversión de sus protagonistas y embellecer hasta la santidad a los misioneros que la realizan.

El erudito sacerdote Crescencio Carrillo y Ancona (1836-1897) publica en 1862 su *Historia de Welinna,* enmarcada dentro del período de la conquista de Yucatán.

La *Historia de Welinna* se editó tres veces [1]. Carrillo y Ancona nos dice en la introducción que la novelita fué leída "con avidez y entusiasmo" por la emperatriz Carlota Amalia, quien pidió al embajador de Bélgica que la tradujera al francés para hacer una edición de lujo en París, proyecto que se frustró al caer el Imperio.

Lo más valioso en Welinna son las descripciones de las costumbres mayas; lo pintoresco de los personajes y su escenario. Así la descripción de Welinna:

> Sus abundantes, negros y largos cabellos, ondeaban en dos particiones sobre sus espaldas, cubiertas de una undosa manta blanquísima y fina, realzada con primorosos bordados de matizadas plumas y con la cual estaba con graciosa negligencia, sencillamente vestida. El color de su tez, más bien que blanco, era ligeramente trigueño rojo y sus facciones notablemente simétricas y hermosas. De la ternilla de la nariz colgaba una piedra de ámbar, y de sus orejas, zarcillos de oro con adornos de preciosas perlas; brillando además, en el nacimiento de sus piernas y en sus torneados brazos, adornos del mismo metal. A través de los pliegues y aberturas de su ligero vestido se le veía desde la cintura hasta el cuello graciosamente labrados de exquisitas labores, a excepción de los pechos, que nunca acostumbraban a labrar los indios yucatecos, con esos caprichosos dibujos sobre la misma epidermis, que tan de moda estuvieron entre los dos sexos [2].

---

1. Mérida, Imp. de J. Espinosa, 1862; Imp. de la «Revista de Mérida», 1883; Mérida, Ariel, 1919.
2. *Historia de Welinna,* Imp. de la «Revista de Mérida», 1883, pág. 8.

Sentada junto a un bello *cenote,* Welinna llora y nos dice en un soliloquio que su prometido Yiban le fué arrebatado la misma víspera de sus bodas para ir a pelear contra los españoles. En este momento llega Yiban y le comunica que Tutul-Xiu, rey de Mani, se ha confederado con los españoles. La lectura de los libros de *Chilam Balam* ha suscitado en él dudas que desea esclarecer estudiando la religión de los blancos. Yiban irá con el ejército confederado a pelear contra los rebeldes del interior. Aunque teme la venganza del dios del amor, Ah-kin-koc, es evangelizado al fin por el clérigo Francisco Hernández. Pero Welinna se resiste a dejar sus dioses yucatecos.

Peleando contra los soldados de Cocomes, Yiban es hecho prisionero, y va a ser sacrificado con nueve compañeros más al dios Kukulkán. En el momento del sacrificio, Welinna pide morir con el joven. Entonces Nachi-Cocom suspende la ceremonia, decidiendo que los prisioneros restantes serán sacrificados, uno a uno, en el aniversario de la gran batalla de T-Hó.

La segunda parte de la novela es una alabanza de la labor de los misioneros, especialmente de Fray Pedro de Landa. Nueve años después de la derrota de T-Hó, Yiban va a ser sacrificado. Welinna encuentra en la selva a Fray Pedro de Landa y huye de él, "prefiere derramar su sangre y la de su esposo antes de aceptar favores del dios de los cristianos". Pero en el instante del martirio, cuando abrazada a Yiban va a sufrir la muerte con él, Fray Pedro de Landa, el misionero de la Cruz, los salva:

> Un hombre de mirada penetrante y austera, rodeada su noble frente de una aureola de resplandor inefable, vestido de largo ropaje azul sujeto por un blanquísimo cordón al cinto, se presenta grave, sereno e imperturbable en la escena, levantando su alta cruz de negra madera y pronunciando con voz sonora e imponente unas palabras que, ininteligibles y profundamente misteriosas para aquella muchedumbre, déjala toda estupefacta y confundida [1].

Subyugó a sus oyentes con un sermón en maya "convirtiendo en un instante un ejército de bárbaros en un pueblo de sumisos adoradores del Redentor del mundo". Landa bautiza a Yiban y a Welinna y los une en matrimonio.

1. *Historia de Welinna,* edic. cit., págs. 38-39.

3. — "NEZAHUALPILLI O EL CATOLICISMO EN MÉXICO"

La *Historia de Welinna* probablemente estimuló a Juan Luis Tercero (1837-1905) a escribir su novela *Nezahualpilli o el catolicismo en México* [1]. Tercero en esta obra, como en su otro libro *Armonía de los dos mundos: el natural y el sobrenatural,* quiere demostrar las bellezas de la religión católica.

El mismo autor da a *Nezahualpilli* la denominación de poema en el subtítulo y lo divide en veinticuatro libros.

En la introducción nos dice que, "entusiasmado por los maravillosos triunfos que la Iglesia católica obtuvo contra el protestantismo, quiso cantar las glorias de Cristo y Pedro en el Anáhuac".

Entonces forjó su *Nezalhualpilli.* En su protagonista, un príncipe de Texcoco, nieto del rey Netzahualcóyotl, describe "todos los períodos de un corazón que de las preocupaciones y del horror a Cristo se torna hasta llegar al amor sublime, al holocausto de la voluntad en aras del buen Dios de Teresa y de Javier" [2].

No se aparta Tercero de este propósito, que da unidad a una novela de 610 páginas. Describe al príncipe Nezahualpilli, sobrino del rey texcocano de ese nombre, en cuatro épocas de su vida. Casi adolescente, durante el sitio de Tenochtitlán, es enviado como intérprete en una embajada a Michoacán, con objeto de formar una alianza con aquel reino. Cuando las negociaciones van a terminar favorablemente para México, Nezahualpilli huye con la princesa Juriata, de quien el rey Tangayoan estaba enamorado, y el proyecto fracasa.

Empieza la formación espiritual de Nezahualpilli; Juriata es una joven de mente poética y elevados sentimientos, y a través de ella, especialmente, introduce el autor la concepción religiosa atribuída a Netzahualcóyotl, el rey poeta a quien compara con el David bíblico.

Desde Michoacán, los jóvenes caminan a través de selvas y montañas y desiertos ardientes, hasta llegar a las playas donde desemboca el río Zacotallan. Este episodio termina con la muerte de Juriata, que se extingue ante el desvío con que la trata Nezahualpilli.

1. México, Imp. de J. R. Barbedillo, 1875.
2. *Nezahualpilli,* Introducción, VII.

En la segunda época, el príncipe, después de haber ayudado a Cuauhtemoc en la resistencia contra los españoles y después de la derrota de los mexicanos, aparece en España, donde Hernán Cortés lo ha llevado con otros príncipes de Acolhuacan, para evitar probables alzamientos. Durante el viaje, y ya en tierras españolas, el joven recibe continuamente las enseñanzas cristianas, rebelde al principio, gradualmente con interés, hasta que al fin las bondades de don Vasco de Quiroga lo convencen firmemente.

El tercer episodio de la vida del príncipe surge cuando, de vuelta a su hogar, se enamora de Papantzin, hija de la reina de Tacuba. Este amor, en que los sentidos y la espiritualidad se equilibran, representa la lucha del alma ante la atracción más soberana que puede tener un mortal.

Nezahualpilli es ya cristiano y, aquí entra la fantasía religiosa, ha sido designado con Papan como víctima para que se salven los indígenas del Nuevo Mundo. Pospone una y otra vez sus bodas con Papantzin, primero para realizar labor evangélica entre los apóstatas de Tlaxcala y Michoacán; después, volviendo a España con una embajada para explicar a la reina la labor de los misioneros.

Este segundo viaje a España es la tercera etapa importante en la vía predestinada del príncipe. Allí lo espera la tentación del amor de la bella hija del duque de Béjar; luego, cuando viaja con este noble por Francia, conoce la herejía cristiana de labios de Servet, Villanueva y Marot. Oportunamente lo salvan Ignacio de Loyola y Francisco Javier, quienes lo aconsejan y afirman en su fe.

En Italia visita al Santo Padre y recibe explicaciones religiosas e históricas de Cayetano el Teatino. Y para colmar su preparación al martirio, conoce en Ávila a Teresa de Cepeda y presencia la renuncia de la hermosa doncella a la vida del mundo por servir a Cristo.

Vencida la tentación del amor y el mayor peligro, el contacto con los protestantes, Nezahual regresa a México, renuncia definitivamente a Papantzin y marcha a fundar una colonia evangelizante en Orizaba. La princesa lo despide con aparente serenidad, mas luego enferma de dolor y muere. Nezahual, al saber la muerte de su amada, se interna en los bosques y muere, al fin, consolado por Motolinia, haciendo antes un largo elogio de los misioneros.

Las fuentes de Tercero son, además de las utilizadas por los otros novelistas de tema mexicano, la *Historia chichimeca* [1] y *Las tardes americanas,* de José Joaquín Granados y Gálvez [2]. En ninguna de estas dos obras se menciona el apostolado de Nezahualpilli ni aun en las páginas en que Granados y Gálvez hace la apología de los mártires Acxotécatl y un nieto de Xicotencatl. Tampoco dicen nada del príncipe los demás relatos históricos que hemos leído.

4. — La concepción religiosa atribuída a Netzahualcóyotl

Presenta Tercero a los descendientes de Netzahualcóyotl adorando al dios desconocido que se glorifica en los cantos atribuídos a este rey, a quien describe como una especie de precursor que preparó el alma de sus devotos para recibir el cristianismo.

En el banquete que se celebra después de una misa en casa de Ayauhcihuatl, madre de Nezahualpilli, éste recita cantares de su abuelo sobre la fugacidad de la dicha: "Los mismos prados tienen cada tarde sus funerales", o sobre el Dios invisible: "¿Quién sabrá la tristeza de mi espíritu? Sólo aquel Dios que no se deja ver y que poseemos; a ese Dios tengo empeño en confesar. Por breves sendas llegamos al término, más allá está una luz que jamás se apaga; lloremos ahora, que nuestro llanto ha de tener fin" [3].

La más fervorosa discípula del rey poeta es Juriata. Durante el largo viaje en que atraviesa con Nezahualpilli todas las zonas de México, muestra a su amado la huella del Dios desconocido en la naturaleza:

> Observa las florestas de girasoles amarillos y violados: el amable Espíritu quiso que siempre volviesen esas flores el rostro al sol, del cual parecen enamoradas; amantes flores nuestras almas, ¿no deberían siempre buscar la paz del Dios único, verdadero sol que nos alumbra? [4].

---

1. Hay un manuscrito de la *Historia chichimeca* en la Biblioteca del Museo Nacional de México, y otro en la Academia Española, Madrid. El señor Alfredo Chavero la publicó en el volumen segundo de las *Obras históricas,* de Fernando de Alba, Ixtlilxochitl, México, Tip. de la Secretaría de Fomento, 1891-1892. Según Chavero, es la última obra de Ixtlilxochitl, y debió escribirse entre los años 1610-1640.
2. México, Imp. Matritense de Felipe de Zúñiga Ontiveros, 1778.
3. *Nezahualpilli,* edic. cit., pág. 60.
4. *Ídem,* íd., pág. 49.

5. — Españolismo

Otra nota interesante en la obra de Tercero es un matiz españolista, en contraste con los colores sombríos que prefiere Eligio Ancona.

Tímidamente trata de rehabilitar a Cortés. Describe el dolor de D. Hernando al recibir las noticias de la muerte de su padre, y le atribuye estas palabras:

> Mis nobles señores: os aseguro que mi espada la llevé siempre buscando el pro de mi Dios y de mi rey; mas he de confesarlo: grandes pecados, obra de mi flaqueza, acompañaron no pocas veces los hechos míos [1].

Hace resaltar Tercero la fidelidad de los españoles a su rey. Rodea de una aureola de santidad a D. Vasco de Quiroga, visitador de Michoacán, y a los misioneros Motolinia, Valencia y Zumárraga. Habla con amor de las ciudades españolas Sevilla y Ávila, y realza la hospitalidad del Duque de Béjar y el misticismo militante de Ignacio de Loyola.

6. — Indianismo

El españolismo aparece unido a un indianismo evidente. Es la dualidad de sentimientos en pugna que encontramos en los *Comentarios reales* de Garcilaso. El autor habla con emocionada simpatía de los vencidos:

> ¡Religión adorable del Hombre Dios, tú sola podías ofrecer consuelos a los desventurados hijos de Anáhuac! [2].

En la asamblea de los michoacanos, en la gruta de Matlalcueye, el guerrero Hueimac dice estas palabras:

1. *Nezahualpilli*, edic. cit., pág. 15.
2. *Ídem*, íd., pág. 61.

> ¡Quién curará la herida que nos hace gemir en el alma! ¡Porque la insolencia de los blancos es como un dardo envenenado que a cada uno de nosotros entra en el corazón, y ni a los niños, ni a los ancianos, ni a las mujeres, ni a los hombres de combate deja de emponzoñar tan cruel veneno! [1].

Los nobles vencidos que introduce en el libro, Ayauhoihuatl, hija de Netzahualcóyotl; Atotóchitl, reina de Tacuba; la princesa Papantzin, el mismo Nezahualpilli, están idealizados dentro de un marco de dignidad y melancolía.

Nezahualpilli, al pisar tierras españolas, observa cómo los curiosos comentan la tristeza de los príncipes de México y nos dice:

> De nuevo rebosó en mis entrañas la hiel amarga del vencido, para quien son perdidas todas las cosas, y me parecía que Tenochtitlán acababa de rendirse al vencedor» [2].

7. — La Naturaleza

Describe Tercero la naturaleza en su libro, y no la de una sola región. La fuga de Juriata y Nezahualpilli, los viajes que hace este príncipe a Tlaxcala y Michoacán, sirven al autor para describir las zonas frías y templadas, la tierra caliente, con sus respectivas características. Muchos capítulos terminan con una especie de epílogo poético, en que se describe brevemente el aspecto del cielo, de las montañas, de los astros. Son estos pasajes descriptivos los más bellos del libro: estilo sobriamente romántico, ritmo pausado, detalles vistos con emoción, embellecen entonces la prosa de Tercero:

> A un lado se levantan Popocatépetl e Ixtacihuatl, gloriosas montañas. Al contemplarlas, quisiera el viajero desviar allí sus pasos; tal es el aspecto de sus galas, de su majestad y de su grandeza. Papan y Nezahual no podían desconocer el espec-

---

1. *Nezahualpilli,* edic. cit., pág. 399.
2. *Ídem,* íd., pág. 27.

táculo magnífico que las dos moles ofrecen, representando un himeneo mudo, pero sublime [1].

El Valle de México está descrito ya con el entusiasmo que más tarde expresarían las bellas páginas de Alfonso Reyes [2] y los lienzos admirables de Velasco:

> A pocas horas de marcha se descubrió a la vista de la caravana el gran valle de México, espectáculo hermoso, desde esas alturas; los peregrinos no pudieron contener un grito de sorpresa ante los vastos horizontes, el azul de la celeste bóveda, suave y limpio como el de las flores de la yerba tropical, y un ambiente de transparencia, que los más lejanos montes se ven trazados con unos contornos tan claros que parecen palparse [3].

En los intermedios de la narración de Nezahualpilli a los suyos después de su primer viaje a España, el autor inserta un párrafo musical, que sirve de acompañamiento a las emociones de los oyentes del príncipe:

> Ya la luna, que se asomaba por la izquierda del gran teocalli, llenaba el pórtico de esa limpia claridad que ostenta en estas regiones en el tiempo de los fríos, bajo un cielo que no mancha nube alguna. El ruiseñor de Anáhuac no hacía suspirar los lejanos ecos como en las breves noches de mayo, y se entregaba al silencio hasta la vuelta de esos días. Mas el callar de esa noche era solemne y avivaba el deseo de entregarse a dulces conversaciones [4].

Las bellezas de Orizaba y Michoacán, las cercanías de Texcoco, están descritas también con amor.

---

1. *Nezahualpilli,* edic. cit., pág. 118.
2. *Visión de Anáhuac,* Madrid, Índice, 1923.
3. *Nezahualpilli,* edic. cit., pág. 254.
4. *Ídem,* íd., pág. 23.

8. — El plano celeste

Como en los cuadros de los pintores religiosos del quinientos o como en los que pintó en México Baltasar de Echave el Viejo en el siglo XVII, hay en Nezahualpilli dos planos superpuestos: el celeste y el terrenal.

El Padre Eterno, la Virgen María, la muchedumbre de ángeles y elegidos, aparecen interviniendo directamente en el destino religioso de los indígenas del Nuevo Mundo. El autor describe visiones y mensajes divinos y asambleas en que preside el mismo Jehová para encauzar ese destino.

El libro noveno se desenvuelve casi todo en el plano celeste. Los elegidos piden la bienaventuranza para los merecedores de ella en el Anáhuac y en todo el Nuevo Mundo. La Reina de los Cielos aboga por ellos, y Jesucristo accede.

El primero en ser recibido es Netzahualcóyotl, a quien David abraza; luego otras grandes figuras indígenas: Moteuczoma, Ilhuicamina, "el flechador del cielo"; Itzcoatl, Tayatzin, el rey Nezahualpilli, Chimalpopoca. El desfile termina con la llegada de un ángel, trayendo de la mano a Juriata, "a quien el Verbo anticipa alguna delicia del amor del cielo, y promete otorgar el eterno goce" cuando se consuma el sacrificio de los dos elegidos que morirán "por la salud de Anáhuac".

Hay una escena que sugiere vivamente las pinturas religiosas de análogo asunto. En una aldea, situada en los bosques del Iztaccihuatl, Nezahual, Papantzin, las madres de ambos y el fraile Valencia, pasan la noche en su camino hacia Texcoco. Valencia ora de rodillas mientras los otros duermen. Entonces tiene una visión. Tras un "rompimiento de gloria", un ángel lo arrebata a las plantas de la Virgen, quien toma la forma de una doncella india. El misionero en éxtasis se siente morir. Pero el ángel toca su frente y le dice:

> Apóstol de las Indias: vive todavía para que veas en la tierra las maravillas de la misericordia de Dios.

Ante él se descubre entonces la consagración de Papan y Nezahual al martirio [1].

1. *Nezahualpilli,* edic. cit., pág. 249.

Esta superposición de planos fué sugerida indudablemente por *Los mártires,* de Chateaubriand, novela que sigue muy de cerca Tercero en la forma de su libro y en un gran número de detalles.

En la obra de Chateaubriand, mientras el joven Eudore espera la muerte sobre la arena del anfiteatro, una escena celeste se desarrolla:

> Les cieux s'abaissent et s'entre-ouvrent. Les choeurs des patriarches, des prophètes, des apôtres, des anges, viennent admirer le combat du juste: les saintes femmes, les veuves, les vierges, environnent et félicitent la mère d'Eudore, qui seule détourne ses yeux de la terre, et les tient attachés sur le trône du Dieu [1].

Las bodas místicas de Nezahualpilli y Papantzin, que ve en éxtasis el Padre Valencia, derivan del cuadro equivalente en que Eudore y Cymodocée se desposan antes de morir. El desposorio en esta ocasión se realiza sobre la arena del anfiteatro, pero, simultáneamente "le ciel ouvert célèbre ces noces sublimes, les anges entonnent le cantique de l'épouse; la mère d'Eudore presente à Dieu ses enfants unis qui vont bientôt paraître au pied du trône éternel" [2].

Del mismo modo que la victoria definitiva del cristianismo se debe en *Los mártires* al sacrificio de Eudore y Cymodocée, elegidos por Dios para este objeto, el triunfo del cristianismo entre los indígenas del Nuevo Mundo se asegura con el sacrificio de Nezahualpilli y Papantzin. La consagración al martirio de Eudore y Cymodocée es revelada al obispo Cirilo en una visión; de igual manera, la de los mártires mexicanos, al Padre Valencia.

Hay, además, otras concordancias: Tercero, como Chateaubriand, dedica todo un capítulo de su obra a la descripción del plano celeste; Nezahualpilli, como Eudore, narra sus aventuras a su familia y a la de su amada a través de varios capítulos; Papantzin, como Cymodocée, es perseguida por la venganza de un enamorado a quien desdeñó.

---

1. *Les Martyres. Oeuvres complètes,* Paris, Desrez, 1837, III, 672.
2. *Les Martyres,* edic. cit., pág. 675.

Nezahualpilli difiere en varios aspectos de la serie de novelas indianistas hispanoamericanas. Pero no en sentido de superioridad. La narración, llena de sermones evangelizantes y de una mezcla de paralelos clásicos y bíblicos con el cristianismo inicial en México, fatiga al lector con su ritmo lento y el exceso de lirismo que domina a Tercero en cuanto aborda su preocupación religiosa.

CAPÍTULO XII

«CUMANDÁ O UN DRAMA ENTRE SALVAJES»

1. — JUAN LEÓN MERA Y EL INDIANISMO

El interés de Juan León Mera[1] por la tradición indígena se manifestó en la primera colección de sus versos, *Melodías indígenas,* en 1858. Por el juicio que sobre el libro publicaron Miguel Luis y Gregorio Amunátegui, podemos determinar la actitud de la crítica todavía atenta a la tradición clásica: la mayor alabanza que logra Mera de los hermanos Amunátegui, es por lo que imita de Fray Luis de León y Rioja.

Censura al poeta el haber usado palabras indígenas como *illapa, ñusta, Pachacamac, inti:*

> Si Mera ha buscado la originalidad —comentan— empleando estos otros términos análogos, no podría menos que concederse que es una pobre originalidad la que consiste sólo en las palabras. La circunstancia de que el poeta del Ecuador se haya supuesto un poeta indiano al entonar los cantares en que aparecen estas voces exóticas, no justifica su uso, porque, si ha tomado a los indígenas de América algunas de sus expresiones, no ha sabido apropiarse con la perfección debida ni sus ideas, ni sus afectos, ni sus costumbres, ni sus creencias, lo único que hubiera podido justificar ese lenguaje[2].

1. Juan León Mera (1832-1894) nació en Ambato, Ecuador. Su vida es un bello ejemplo de actividad fecunda: fué redactor del «Diario Oficial» de su país, diputado a las Cámaras legislativas, presidente del Senado, gobernador de las provincias de Tungurahua y de León, cargos que desempeñó en distintos períodos presidenciales. Su extensa labor literaria abarcó la crítica, la poesía y la novela.

2. *Juicio crítico de algunos poetas hispanoamericanos,* Santiago de Chile, Imp. del Ferrocarril, 1861, págs. 96-109.

Aciertan los hermanos Amunátegui en su valoración de *Las melodías indígenas.* La misma crítica podría hacerse del poema *La virgen del sol* (Quito, 1861). Se divide en dos partes, escritas en cantos donde la métrica varía a la manera de las narraciones en verso de Zorrilla. Los títulos de los cantos parecen tomados de Dumas o Sué; la delación, la rabia de la venganza, la fuga, la tempestad, etc. Una melodramática intriga basada en la tradición incaica constituye el tema. Del conjunto apenas pueden entresacarse algunos fragmentos, como la caza de la puma por el indio Amaru.

El desenlace es simbólico y españolista; los jóvenes Cisa y Titu, próximos a ser ejecutados por la crueldad y venganza de una mujer, Toa, son rescatados por las tropas españolas que llegan oportunamente. Instruídos en el cristianismo reciben la bendición matrimonial de un sacerdote católico [1].

No obstante, estas obras de Mera demuestran un noble propósito americanista que había de sustentar a través de su vida. La destrucción de los pueblos indígenas por la conquista española vuelve a discutirse en la época que estudiamos a causa del gran número de obras indianistas que se publican y de la visión sentimental del indio en boga entonces. Es así como Mera se convierte en teorizante indianista.

En su primer capítulo de su *Ojeada histórico-crítica de la poesía ecuatoriana* [2] estudia la poesía quechua, y esas páginas originan una serie de cartas entre D. Juan Valera [3] y el autor de *Cumandá.* Al aludir Valera en su segunda carta al crítico cubano Rafael Merchán, el asunto toma carácter de polémica.

Aunque todas las cartas de Mera comienzan con un "Respetado señor mío", después de afirmar que no se ofende de verse impugnado por "tan docta y digna persona", define su actitud con valentía y mesura:

> El modo como Atahualpa fué atraído a Cajamarca, como fué apresado en medio del degüello de sus vasallos, y después, con tamaña injusticia estrangulado, no puede por menos sino

1. *La virgen del sol* fué reimpreso en Barcelona, Imp. del Crédito Catalán, 1887.
2. Quito, 1868; Barcelona, Imp. Cunill Sala, 1893.
3. *Cartas americanas,* Madrid, 1915, II, 185.

indignar a todo hombre razonable y no desnudo de sentimientos humanitarios; pero injusto sería también negar que fué heroico y asombroso el valor de ese puñado de españoles, que emprendieron el sojuzgar un poderoso imperio, metiéndose en su corazón sin hacer el menor caso de los peligros y dificultades que los rodeaban [1].

En la página anterior había afirmado:

> Lo que yo condeno es la manera como se hizo la conquista.

Las cartas de Merchán [2] revelan serenidad y erudición. Después de impugnar las opiniones de Valera termina:

> Consuélese, pues, el Sr. Valera con esta fidelidad fatal a la vocación hereditaria, y cuando nos quiera imponer silencio no niegue las iniquidades de los españoles, sino busque en los anales americanos, desde México hasta los aledaños del Polo Sur, nuestras propias atrocidades. Todos, pues, ustedes y nosotros, podemos introducir una ligera variante en las palabras de Terencio: *Homo sum, inhumani a me nihil alienum puto.*

Las cartas del crítico cubano mencionan los más importantes indianistas de Europa y América, y serían magnífico punto inicial para un estudio de las polémicas en torno al asunto durante el siglo XIX.

Nos hemos detenido en estas cartas porque ellas atestiguan que el indianismo del siglo XIX no fué siempre pintoresco o exótico; muchos autores, Mera entre ellos, escribieron literatura indianista, porque sinceramente pensaron que al hacerlo contribuían a dar carácter propio a nuestro arte.

1. *Ojeada histórico-crítica,* Barcelona, edic. cit., pág. 537.
2. *Cartas a D. Juan Valera sobre estudios americanos,* Bogotá, Imp. La Luz, 1887.

2. — "CUMANDÁ"

La novela *Cumandá* se publicó, según Isaac J. Barrera[1], en 1871. No hemos visto esta edición, y hasta hace poco considerábamos como primera la que imprimió Guzmán Almeida en Quito en 1879. De todos modos, la novela estaba escrita ya en 1877, fecha al pie del prefacio de esta última edición.

Cumandá es la novela poemática más importante del grupo indianista. Tiene por fuente pintoresca el maravilloso paisaje ecuatoriano que el autor admiraba desde su quinta de Atocha, situada ante grandiosas vistas del Chimborazo. Suma al paisaje las costumbres y tradiciones de las tribus indígenas del Ecuador:

> Refresqué —nos dice en el prefacio— la memoria de los cuadros encantadores de las vírgenes selvas del oriente de esta República; reuní las reminiscencias de las tribus salvajes que por ella vagan; acudí a las tradiciones de los tiempos en que estas tierras eran de España, y escribí *Cumandá*...

En el mismo prefacio, Mera dice que Cumandá fué una heroína de aquellas regiones, y afirma que un viajero inglés amigo suyo le refirió la anécdota en que aparece la doncella, y de la cual fué ocular testigo.

Busca la causa remota del alzamiento de los indios jíbaros, que dió lugar a la tragedia que narra, en la Pragmática Sanción de Carlos III, expulsando a los jesuítas de América en 1767. Abandonadas las misiones, los indios cayeron en su condición primitiva, fomentando odios contra los blancos, que exteriorizaban en levantamientos. Algunas misiones, como la de Andoas, que figura en la narración, se sometieron a los frailes dominicos.

Mera entrelaza en su novela el alzamiento de 1790 en Guamote y Columbe, en que tomaron parte la conspiradora Lorenza Huaymanay y el indio Tubón, ejecutados después de un proceso judicial.

El elemento sentimental de *Cumandá* es el gran amor de la doncella por Carlos, a quien salva tres veces la vida, rescatándole

1. *Literatura ecuatoriana,* Quito, Imp. Nacional, 1926, pág. 106.

de las aguas del Chimano; evitando que se efectúe el plan de envenenamiento con que el viejo Tongana quiere asesinarlo, y por último, entregándose para que su amado quede libre, aunque sabe que al hacerlo la espera la muerte.

Completando esta historia de amor, el resto de la novela puede resumirse así: el cruel castigo de una leve falta del viejo padre de Tubón, el que reciben madre e hijo por defenderlo, suscita terribles deseos de venganza en el joven indio, quien aprovechándose del alzamiento de los jíbaros, incendia la casa de campo de don José Domingo Orozco. La esposa y todos los hijos de Orozco, con excepción de Carlos que estudiaba en Ríobamba, perecen en el incendio. Sólo se salva la pequeña Julia, a quien su nodriza, amante de Tubón, lleva consigo.

Don José Domingo Orozco no sabe que su hija vive. Se arrepiente de su crueldad, y decide dedicarse al servicio de las misiones. El Provincial lo destina a Andoas, una de las antiguas reducciones de oriente. Su hijo Carlos lo acompaña. En sus excursiones por la selva, el joven se enamora de una bellísima india, Cumandá. Mas los padres de la muchacha, Pona y Tongana, odian a los españoles, y después de tratar en vano de destruir los amores de su hija, la ofrecen como esposa al viejo cacique Yahuarmaqui. Muere el cacique la misma noche de las bodas. Cumandá huye en busca de Carlos y se refugia en Andoas. Los jíbaros tienen a Carlos prisionero y piden al Padre Domingo la entrega de Cumandá a cambio de su hijo. Entonces la doncella, burlando la vigilancia del fraile, va a entregarse a los jíbaros. Encuentra a Carlos atado a un árbol. Sigue una larga despedida, y Cumandá, después de dar al joven su amuleto, es llevada al sacrificio. Cuando Orozco llega y trata de abrir el amuleto, Pona le dice que Cumandá es su hija Julia. Orozco y Carlos van a rescatar a Cumandá, pero es tarde: la joven ha sido sofocada con una infusión de hierbas aromáticas para acompañar al muerto cacique como la más bella de sus esposas. Unas breves líneas nos dicen que Pona era la antigua criada de Orozco, y Tongana, Tubón, a quien aquélla salvó del cementerio donde lo llevaron por muerto.

3. — "CUMANDÁ" Y LA CRÍTICA ESPAÑOLA

Las descripciones de la naturaleza en la novela, entusiasmaron a los lectores de España. Pereda, tan distante en temperamento del autor, dice sin embargo:

> Todo en este libro respira una solemnidad imponente, como si las barreras de los Andes y las tribus bárbaras que rebullen en sus profundos pliegues hubieran hallado al fin el poeta que necesitaban [1].

Valera afirma que no superan Cooper y Chateaubriand estas descripciones, y le parece *Cumandá* lo más bello que como narración en prosa se ha escrito en la América española [2].

Alcalá Galiano en el prólogo que escribe para *Tijeretazos y plumadas* [3], colección de artículos humorísticos de Mera, se refiere a *Cumandá* en estos términos:

> Novela-poema que acaso Chateaubriand trocara por su *Atala* y sus *Natchez*.

Alarcón, en fin, comenta:

> Los indios se palpan. Su obra es una fotografía de maravillosos cuadros, y quedará, como todo lo *après nature*, como un Humboldt artístico [4].

Todas estas críticas son exageradas. Ni *Cumandá* supera a *Atala* como obra artística, ni es la narración en prosa más bella de nuestro romanticismo, donde ocupará siempre el primer término la *María*, de Isaacs.

---

1. Cita de Rubió y Lluch en *Estudios hispanoamericanos*, Bilbao, 1923, páginas 320-321.
2. *Cartas americanas*, Madrid, 1915, II, 168.
3. Madrid, Fe, 1903.
4. Introducción de *Cumandá, Madrid,* Fe, 1891, págs. 3-9.

4. — Influencias literarias

Chateaubriand es el modelo que más recuerda Mera. Si no alcanza la perfección artística del vizconde francés, se aproxima a él por momentos en la calidad poemática de su prosa y en otros detalles.

Cumandá empieza describiendo los árboles, los ríos, las montañas de la región que va a ser escenario de la novela; así Chateaubriand, aunque de manera más fantasista, comienza *Atala*.

Las reflexiones graves o melancólicas que sugería la contemplación de la naturaleza a partir de Rousseau, y que son nota continua en Chateaubriand, son frecuentes en Mera, quien dice en el primer capítulo:

> Por un fenómeno psicológico que no podemos explicar sufre el alma encerrada en el dédalo de los bosques impresiones totalmente diversas de las que experimenta al contemplarlos por encima, cuando parece que los espacios infinitos la convidan a volar por ellos como si fueran su elemento propio. Arriba, una voz secreta dice al hombre: «¡Cuán chico, impotente e infeliz eres!». Abajo, otra voz secreta y no menos persuasiva le repite: «Eres dueño de ti mismo y verdadero rey de la naturaleza; estás en tus dominios; haz de ti y de lo que te rodea lo que quieras».

Su modo de transcribir la naturaleza es, empero, muy personal, avalorado por un poético realismo. En el primer capítulo donde encontramos la influencia de Humboldt en la precisión geográfica con que describe, hay un cuadro de la cordillera andina en diferentes momentos, rico en sensaciones de color y sonido. Sólo en el trazo final vuelve a recordar Mera la postura chateaubrianesca:

> Con frecuencia se ve la tempestad como alado negro fantasma cerniéndose sobre la cordillera, despidiendo serpientes de fuego que se cruzan como una red, y cuyo tronido no alcanza a escucharse; otras veces los vientos del levante se desencadenan furiosos y agitan las copas de aquellos millones de árboles formando interminable serie de olas verdemar, esmeralda y tornasol, que en su acompasado y majestuoso movimiento

> producen una especie de mugidos, para cuya imitación no se hallan voces en los demás elementos de la naturaleza. Cuando luego, inmoble y silencioso, aquel excepcional desierto recibe los rayos del sol naciente, reverbera con luces apacibles, aunque vivas, a causa del abundante rocío que ha lavado las hojas. Cuando el astro del día se pone, el reverberar es candente, y hay puntos en que parece haberse dado a las selvas un baño de cobre derretido, o donde una ilusión óptica muestra llamas que se extienden trémulas por las masas del follaje, sin abrasarlas. Cuando, en fin, se levanta la espesa niebla y lo envuelve todo en sus rizados pliegues, aquello es un verdadero caos en que la vista y el pensamiento se confunden y *el alma se siente oprimida por una tristeza indefinible y poderosa.*

Igual belleza logra Mera en el capítulo XVI cuando describe la tormenta que sorprende a Cumandá en su fuga a través de los bosques. Otra vez las sensaciones auditivas se registran en las voces de la selva después de la tempestad, voces que escuchó la fugitiva desde el tronco del árbol donde se guareció.

Carlos Orozco fué creado bajo el signo de René. A los veinticinco años "había gastado más vida que otros a los cincuenta". Como René, "busca la plenitud de sus facultades en la soledad". Pesimista, dice a su amada:

> ¿No debes temer que el infortunio, para el cual me siento nacido, acabe por arrastrarte conmigo a los abismos? ¡Ah tierna joven! La desgracia es más contagiosa que la fiebre; yo estoy apestado de ella, y tú junto a mí... [1].

Es Carlos un personaje débilmente caracterizado, y resulta, junto a la impetuosa Cumandá, un tanto borroso.

Nada hay en Chateaubriand tan pintoresco como la descripción que hace Mera de la fiesta de las canoas, de las innumerables barcas de todas las tribus, adornadas de verdes festones de enredaderas, chapas de concha de tortuga, "llevando de un asta a otra, engarzadas en hilo de chambira, blancas azucenas, frutas en sazón, pintadas aves y relucientes pececillos".

Esta descripción, lo mismo que la de los atavíos de Cumandá

1. *Cumandá,* Madrid, Fe, 1891, pág. 49.

como virgen de las flores, recuerda, por el colorido luminoso, la manera de Saint-Pierre. En esta ocasión Cumandá "lleva el ondeado cabello suelto al desgaire, y ceñida la cabeza de una ancha faja recamada de alas de moscardones que brillan como esmeraldas, amatistas y rubíes"[1].

De Saint-Pierre en *Pablo y Virginia* tomó también Mera el símbolo de las dos palmas que representan el destino amoroso de ambos jóvenes.

Pedro Antonio de Alarcón, en su carta al director de la *Academia ecuatoriana*[2], afirma que es Cooper y no Chateaubriand la influencia literaria más evidente en *Cumandá:*

> Dijérase que está escrita por un Fenimore Cooper del Sur, más caliente y brillante que el del Norte. No hay en él brumas y aguas frías, sino toda la pompa india de Occidente. Chateaubriand es siempre reflexivo y triste.. ¡Repito que es Cooper!

Mas no es precisamente en la descripción de la naturaleza donde Mera imita a Cooper. Su prosa es más flexible, más poética y musical. Describe, no siempre para demostrar la grandeza de Dios, móvil dominante en Cooper, sino para embellecer el fondo en donde se mueven sus personajes.

¿Qué hay, pues, de Cooper en Mera? Hay la verdad y exactitud de las descripciones, resultado en ambos novelistas de una visión directa de los paisajes y las costumbres que son parte esencial de su obra literaria.

En la novela de Cooper *The Wept of Wish-ton-wish,* los indios Narragansett destruyen una aldea de Nueva Inglaterra, roban a la hija de Ruth Heathcote, niña de pocos meses. Entre los indios esta niña recibe el nombre de Narra-Mattah. Crece entre los salvajes y su alma se desarrolla completamente india. Cuando su esposo Conanchet es ejecutado por su enemigo Uncas, Narra-Mattah muere.

Este episodio pudo sugerir a Mera el equivalente en *Cumandá.* La creación de Cooper es verosímil y realista: hubiera complacido a Valera. Narra-Mattah, sin embargo, es una sombra que olvida-

1. *Cumandá,* edic. cit., pág. 111.
2. Introducción de *Cumandá,* edic. cit., págs. 1-3.

mos al cerrar el libro, mientras Cumandá persiste en una realidad superior.

La crueldad de los indios de Cooper, singularmente de Magua, la encontramos en Tongana y sus hijos. Pero lo que indudablemente tomó Mera de Cooper fué el encadenamiento de peligros mortales con que asedia a sus protagonistas. No hay tregua entre una aventura de muerte y la que sigue. Cumandá salva a Carlos de morir ahogado en el Chimano y tiene en seguida que protegerlo de los flecheros de Yahuarmaqui, desviar de él el veneno con que quiere asesinarlo el hijo de Tongana, otra vez llegar a tiempo para evitar que el mismo indio lo mate de un flechazo. Ambos jóvenes huyen hacia Andoas, son sorprendidos, se les perdona la vida; Cumandá huye se refugia en Andoas; Carlos, buscándola, cae prisionero de nuevo; Cumandá entonces lo rescata con su vida. Estas complicaciones, aunque desenvueltas con más rapidez que las prolijas aventuras de Cooper, fueron sin duda aprendidas en *The Pioneer* o en *Deerslayer*.

Justo es subrayar, sin embargo, que Mera en *Cumandá* nunca cruza los límites del arte para entrar en los del melodrama, como hace Cooper una y otra vez. Por ejemplo, el poeta ecuatoriano no describe la muerte de Cumandá. El Padre Domingo y Carlos encuentran su cadáver, bello todavía, junto al del cacique. Contrasta la muerte de Cumandá con la de Cora en *The last of the Mohicans*, atravesada por el puñal de Magua, muerte melodramática como un episodio de vulgar cinema.

Otra diferencia encontramos en la caracterización de los personajes. El novelista norteamericano nunca concentró su interés en una heroína.

> His failure of characterization —dice Lounsbury— was undoubtedly greatest in the women he drew [1].

Tamenud, el patriarca de la tribu Delaware, descrito minuciosamente por Cooper, no alcanza el efecto del curaca Yahuarmaqui, descrito por Mera:

> El curaca Yahuarmaqui se acercaba a los setenta años, y sin embargo, tenía el cuerpo erguido y fuerte como el tronco

1. THOMAS R. LOUNSBURY, *James Fenimore Cooper*, Boston, 1883, pág. 272.

> de la *chonta*; su vista y oído eran perspicaces y firmísimo su pulso; jamás erraba el flechazo asestado al colibrí y percibía como ninguno el son del *tunduli* tocado a cuatro leguas de distancia. En su diestra, la pesada maza era como un bastón de mimbre, que batía con la velocidad del relámpago. Nunca se le vió sonreír ni dirigió jamás, ni aun a sus hijos, una palabra de cariño. Sus ojos eran chicos y ardientes como los de la víbora; el color de su piel era el del tronco del canelo, y las manchas de canas esparcidas en su cabeza le daban el aspecto de un picacho de los Andes cuando empieza el deshielo en los primeros días de verano

Cumandá, pues, se acerca más por su calidad poemática a Chateaubriand que a Cooper, y de éste toma lo que menos vale en ella: las aventuras efectistas.

5. — Genealogía de "Cumandá"

Las bellezas de la obra se resumen en Cumandá. Don Juan Valera la tacha de inverosímil, encontrándola demasiado perfecta para su medio y condición[1]. Olvidó Valera que se trata de una novela idealista, y la verosimilitud no es, por tanto, medida para juzgar de su excelencia.

En Cumandá funde Mera una serie de reminiscencias literarias y añade toques de su invención. Tiene Cumandá una genealogía tan extensa como la de Atala, de quien ha dicho Gilbert Chinard:

> Quant Atala, qui pourra tracer son histoire? Elle est a la fois Pocahontas, l'Indienne de Virginie qui sauva la vie d'un capitaine anglais; la Marie de Le Beau, la tendre Iarico d'Addison, la Betty de Chamfort; elle emprunte des traits à l'Azakia de Mrs. Morton, a Oderahi, peutêtre a la Johanna du capitain Stedman, a Charlotte Ives, aussi probablement, et à la sylphide que hantait les rêves du jeune homme sous les ombrages de Combourg[2].

---

1. *Cartas americanas,* edic. cit., pág. 218.
2. *L'Exotisme américain dans l'oeuvre de Chateaubriand,* Paris, 1918, pág. 232.

Cumandá no sugiere menos antecesoras; la más lejana, aquella gentil Guacolda de *La Araucana,* que después del mal presagio de un sueño decía a su amado:

> No caerá tu cuerpo en tierra frío — cuando estará en el suelo muerto el mío [1].

En su psicología no hay el conflicto que hace de Atala el vaso en que vierte Chateaubriand su sensibilidad hiperestésica. Siendo una creación idealista es, no obstante, natural y enérgica en sus actos. Si nada tiene de la contradictoria Atala, a no ser el amor infinito, recuerda en lo luminoso e infantil a aquella Mila que en *Los natchez* es una aparición de gracia y frescura.

En el capítulo *Bajo las palmeras,* atravesando la selva con la inquietud de haber tardado en llegar a una cita, recuerda a Nicolette, la deliciosa amada de Aucassin, cuyos pies eran más blancos que las margaritas que tronchaba al pasar con el traje salpicado de rocío.

Mera describe a Cumandá en parecidas circunstancias:

> Llevaba desarregladas las crenchas bajo un *tendema* de lustrosos junquillos y pintadas conchas; mal ceñida la túnica de seda azul con una trenza tejida de sus propios cabellos. Cruzando ligera, como iba por entre los árboles que goteaban rocío, a la indecisa luz del alba, se habría mostrado a los antiguos griegos como una ninfa silvestre perdida durante la noche en el laberinto de la selva.

En el mismo capítulo, al iniciarse el diálogo de amor, es la esposa del *Cantar de los cantares* quien alza su voz ardiente:

> ¡Oh joven amigo mío! Me gustas más que la miel de las flores al colibrí y más que al pez el agua. Mira, siento por ti una cosa que no puedo explicar, y espero de ti otra que tampoco me la explico; pero cuya sola idea me estremece de deleite.

En el capítulo XVI, Cumandá va sola y fugitiva a través del

1. ERCILLA, *La Araucana,* Madrid, BAE, Hernando, 1906, XVII, 54.

bosque alumbrada por las estrellas. La visión de la joven es tan original que no recordamos nada que pueda compararsele:

> Los fuegos fatuos se enredaban entre los matorrales y desaparecían o vagaban un instante sobre las aguas estancadas e inmóviles. Millares de luciérnagas recorrían lentas el seno tenebroso de la selva como pequeñas estrellas volantes; a veces se prendían en la suelta cabellera de la joven fugitiva o se pegaban a su vestido como diamantes con que la misteriosa mano de la noche la engalanaba.

Por último, cuando el día avanza y Cumandá, atormentada por la sed, camina bajo un sol asfixiante, es Mireya, la virgen de Provenza, viajando también sola y fugitiva:

> Parece que la naturaleza, sofocada por los rayos del sol, ha caído en profundo letargo; ni el más leve movimiento en las hojas, ni un ave que atraviese el espacio, ni un insecto que se arrastre por las yerbas, ni el más imperceptible rumor... Cumandá desfallece; sus pasos comienzan a ser vacilantes, los ojos se le nublan...

6. — Intención social de "Cumandá"

Pero *Cumandá* no es solamente una novela poemática. El libro tiene un propósito social, que explica Mera en el capítulo V. Quiso el autor interesar a la "sociedad civilizada" en la triste condición de salvajismo de las tribus ecuatorianas. El capítulo termina con estas palabras dirigidas a los indígenas:

> Vuestra alma tiene mucho de la naturaleza de nuestros bosques; se la limpia de las simientes que la cubren y la simiente del bien germina en ella y crece con rapidez; pero fáltale la afanosa mano del cultivador, y al punto volverá a su primitivo estado de barbarie. Vosotros no sois culpables de esto; lo es la sociedad civilizada, cuyo egoísmo no le permite echar una ojeada benéfica hacia vuestras regiones; lo son los gobiernos, que atentos sólo al movimiento social y político no escuchan los gritos del salvaje que a sus espaldas se revuelca en charcos de sangre en sus espantosas guerras de exterminio.

LA NOVELA INDIANISTA EN HISPANOAMÉRICA

La transición a las novelas indianistas del novecientos está cerca. Y aunque Mera ha pintado un "salvajismo" que a veces es pintoresco y bello, aunque se refiere a la ignorancia de los indios, y no a su relación con los blancos, apunta en él ya el sentimiento reivindicador de la mayor parte de las novelas indianistas posteriores a 1890 [1].

1. La editorial *Heath and Co.*, de Nueva York, publicó (1932) una edición de *Cumandá*, anotada por la Dra. Pastoriza Flores. La novela no se ha traducido al francés y al alemán como afirman algunos críticos, aunque Mera recibió proposiciones para ello.

CAPÍTULO XIII

«HUINCAHUAL»

La rica tradición indianista de Chile en la época colonial no tiene equivalencias en el período romántico. Persistente cultivador de temas indios en la poesía fué Salvador Sanfuentes (1817-1860) en una serie de leyendas en verso: *Inami* o *La laguna del Ranco* (1850), *Huentemagu,* publicada en el Museo de Santiago en 1853, y *Ricardo y Lucía o la destrucción de la Imperial* (1857). La primera y la última repiten el viejo tema idílico entre una india y un español [1]; *Huentemagu* invierte los términos y añade un nuevo matiz: la heroína es una religiosa que convierte y civiliza al indio, a quien la entregan como botín de saqueo. Tema que se aproxima a la novela *Huincahual,* aunque Sanfuentes tenga una solución más falsa.

Las mediocres obras de Sanfuentes, y algún otro poema, como *La muerte de Lautaro* [2], de Guillermo Blest Gana (1829-1905), en quien el poeta infunde el anhelo libertario sobre toda pasión, son los únicos antecedentes románticos que encontramos en Chile de la novela de Alberto del Solar.

Escribió Alberto del Solar (n. 1860) gran número de obras, en su totalidad medianas, que no podrán conquistar lectores a pesar de la parisina edición de lujo donde las coleccionó [3].

Novelas, dramas, poesías, estudios históricos y lingüísticos, polémicas, crítica literaria, forman su copiosa producción durante los años de 1880 a 1910. Vivió largos años en Buenos Aires y fué

---

1. Véase Torres Caicedo, *Ensayos biográficos,* Paris, Guillaumin, 1863, I, 11-60.
2. Publicado en la «Revista de Santiago» en 1848. Torres Caicedo copia gran parte de él en *Ensayos biográficos,* edic. cit., pág. 270.
3. *Obras completas* de Alberto del Solar, Paris, Garnier, 1911, 7 vols.

colaborador ocasional de "La Nación". Allí conoció a Rubén Darío, quien con la generosidad crítica en él característica le prologó su conferencia, *El mar y la leyenda* [1], y escribió acerca de él una de las semblanzas de su libro *Cabezas*.

Huincahual fué la primera novela del autor [2]. Es la historia de María, la niña blanca robada de su hogar y del amor de su prometido Gil Rodríguez durante un asalto de los indios araucanos a la fortaleza Villa Rica. El jefe del asalto, Huincahual, es hijo del toqui Paillamachú. El salvaje se enamora de la cautiva, quien después de largas torturas morales pierde la esperanza de volver al mundo civilizado y se impone la misión de convertir a Huincahual al cristianismo. El nacimiento de un hijo le trae, definitivamente la resignación. No consigue cristianizar al salvaje, pero se vuelve gradualmente una criatura de instintos, que mira, cada vez más borrosos, sus recuerdos.

La predilección manifiesta de Huincahual —quien ha sido proclamado toqui por su valentía— despierta los celos de Nalcú, la antigua favorita.

Náufrago en una tempestad, Gil Rodríguez llega con un compañero a la playa de la tribu. Huincahual no descubre a María la presencia de los cautivos. Pero Nalcú suministra un narcótico a Huincahual y María, y conduce al extranjero a la *ruca* de ambos mientras ellos duermen. Gil Rodríguez reconoce a su prometida.

Al día siguiente, los españoles, instruídos por Rodríguez, atacan las tolderías de Huincahual. María es rescatada por su amado, pero sufre ya los efectos del veneno de Nalcú. Huincahual los sigue a caballo en furiosa carrera hasta llegar a un río. Los fugitivos se alejan en una piragua, el toqui se lanza al río y desaparece entre sus torbellinos amenazantes. María muere en ese momento.

La descripción de la naturaleza que encuadra a esta novela ocupa una gran parte de la obra. El autor ha intentado transcribir los varios aspectos del paisaje chileno: selva, montañas, mar; enumerando con nombres indígenas las especies de árboles, aves, insectos. Rara vez logra efectos artísticos. De la selva escribe:

1. Volumen VI de *Obras completas*.

2. Se publicó por primera vez en París, Pedro Roselli, 1888, y volvió a imprimirse en el vol. II de *Obras completas*.

> Todo es verdor en el seno prodigioso de las selvas; verdor en las ramas que, allá arriba, forman una bóveda espesa de follaje; verdor en el suelo, como sobre una alfombra de césped; verdor en los arbustos, helechos y orquídeas que brotan a porfía al pie de las raíces nudosas de los árboles; verdor, en fin, sobre el borde solitario de los arroyos, cuyas aguas los retratan al pasar [1].

Esta selva no anuncia todavía la de José Eustasio Rivera en *La Vorágine*. La descripción es aquí solamente espectáculo; la relación con el hombre ni siquiera se apunta.

En el mismo tono describe los insectos:

> Los había también de topacio y de amatista, con luces de zafiro y de rubí, y entre los ejemplares más hermosos distinguíanse aquellas lindas mariposas de alas diáfanas con bandas multicolores salpicadas de puntillos como polvo de oro, que, semejantes a otras tantas flores vivientes, siembran por dondequiera los campos de arauco [2].

Como en las demás novelas poemáticas, la Mitología y las costumbres y supersticiones indias están intercaladas en la narración. El autor incluye la versión araucana del diluvio universal como una de las leyendas más interesantes. Se conserva el viejo tema de la censura de la conquista, esta vez en la explicación que da Huincahual a María sobre las causas de su odio a los blancos.

La preocupación psicológica que comenzaba a penetrar ya en nuestra novelística con la divulgación de Balzac y Zola, es un matiz nuevo en esta novela. Del Solar quiso representarnos en Huincahual una naturaleza salvaje, un alma recia que lucha por comprender a la mujer civilizada sin conseguirlo. La transformación de la cautiva está descrita también con intención psicológica:

> Le había acontecido en ocasiones sentirse poseída de un violento e inexplicable furor de independencia. Con su salud renacía su vigor físico y se borraban sus recuerdos del pasado, sus pesares y sus afecciones.

---

1. *Huincahual, Obras completas,* II, págs. 56-57.
2. *Huincahual,* íd., pág. 34.

> Por eso, más de una vez, cuando hallándose sentada a la puerta de su *ruca* tejiendo un poncho o remendando una *huaralca,* acertaba Huincahual a pasar montado en un potro montaraz, se sentía súbitamente poseída de un arranque irresistible, que la hacía precipitarse afuera y encaramarse de un salto a la grupa del fogoso animal [1].

Dedica Del Solar su novela a D. José Toribio Medina, y dice haberla compuesto documentándose en el libro *Los aborígenes de Chile,* de este autor. Hay, además, reminiscencias literarias evidentes. Del Solar, en sus impresiones de viaje de Castilla a Andalucía, escribe:

> Así como me acostumbré a simpatizar con los indígenas de mi patria, cuyo valor y nobleza cantó Ercilla en versos retumbantes, y tanto, que cada uno de los trozos de *La Araucana* me hacía prorrumpir en exclamaciones de juvenil entusiasmo por Caupolicán y Lautaro y el indio Mulchén y Michimalonco y el cacique Quilacura, padre de la esbelta Glaura, *de la sangre de Frisio esclarecida* [2].

Hay analogía entre el asunto de la obra con la novela ya citada de Cooper *The Wept of Wish-ton-wish.* En ambas la protagonista es hija de colonos blancos arrebatada de entre los suyos durante un asalto por un jefe indio. Hay otro punto en que ambos novelistas concuerdan: el creer la unión entre la raza blanca y la india "desigual, absurda en su origen como lo habría sido la de dos seres de distinta especie" [3].

Es éste el único caso en que un novelista romántico del grupo que estudiamos expresa semejante opinión. Por lo demás, sin pasar por Cooper, a quien sin duda leyó Del Solar, la novela tiene un claro antecedente hispanoamericano: *La cautiva,* de Echeverría. El *malón,* el nombre María —convencional en nuestras heroínas románticas— están en el poema de Echeverría. Sólo los indios

1. *Huincahual,* edic. cit., págs. 88-89.
2. *Obras completas,* I, págs. 311-312.
3. *Huincahual,* edic. cit., pág. 24.

difieren: poetizados los araucanos, vistos con menos simpatía los pamperos.

Huincahual es la última novela indianista de algún interés en la época romántica. Después de ella, la visión realista de los indios y los problemas sociales que implican, ocuparán el primer término en las novelas de asunto indígena.

LA NOVELA INDIANISTA DE REIVINDICACIÓN SOCIAL

CAPÍTULO XIV

«AVES SIN NIDO», POR CLORINDA MATTO DE TURNER

El Perú, poseedor de la "sensual y fina" tradición incaica, no ofrece en su literatura novelas románticas indianistas, a excepción de la insignificante de Asensio y Segura, que mencionamos en otro lugar.

Ricardo Palma (1833-1919), entre las series de tradiciones peruanas que publicó de 1863 a 1899, escribió unas cuantas de tema indígena, en su mayoría evocaciones prehispánicas. Es interesante notar que el tono humorístico frecuente en Palma no aparece en estas tradiciones, que son más bien poemáticas y exaltan el heroísmo y la nobleza incaica.

Poemática es la más antigua de ellas: *Palla-Huarcuna*[1], que lleva al pie la fecha de 1860. Versa sobre la victoria de Tupac-Yupanqui, "el rico en todas las virtudes", sobre los *pachis,* la profecía de un sacerdote acerca de la invasión española y la muerte de una bella cautiva del Inca, castigada así cuando trata de huir con su amado. El augurio del sacerdote lo describe Palma de manera poética:

> El cóndor de alas gigantescas, herido traidoramente y sin fuerzas ya para cruzar el azul del cielo, ha caído sobre el pico más alto de los Andes, tiñendo la nieve con su sangre. El gran sacerdote, al verlo moribundo, ha dicho que se acerca la ruina del imperio de Manco, y que otras gentes vendrán en piraguas de alto bordo a imponerle su religión y sus leyes.

1. Véase Ricardo Palma, *Tradiciones peruanas,* Barcelona, Montaner y Simón, 1893-1896, I, 27-28.

Igualmente poéticas son *La achirana del Inca* [1] y *La gruta de las maravillas* [2]. En la primera, el inca Pachacutec, enamorado de una doncella del *pago* de Tate y perdiendo la esperanza de ser correspondido, pues ella ama a otro, noblemente le dice que le pida una merced como recuerdo del amor que le inspiró. La muchacha pide que dé agua a la comarca, petición que los 40.000 hombres de Pachacutec cumplieron en breve abriendo un cauce desde los terrenos del Molino hasta los de Tate.

La gruta de las maravillas es la leyenda del príncipe Huacari vencido por Mayta-Capac, el Melancólico. El príncipe, encerrado en su palacio con sus parientes y jefes principales, muere con ellos de hambre antes que entregarse. Y los *auquis,* los dioses tutelares, los convierten en las estalactitas y estalagmitas que forman la gruta de las maravillas, en donde se ve, en una de las galerías, el pabellón de Huacari.

En *El justicia mayor de Layeacota* [3], un anciano que dice ser descendiente de Ollantay cuenta a su hijo esta tradición; en *El que pagó el pato* [4], el inca Titu-Atauchi, hermano de Atahualpa, perdona la vida a dos cautivos, Francisco Chávez y Hernando de Haro, porque reconoce en ellos a dos defensores de su hermano, y condena al garrote a Sancho Cuéllar, escribano que actuó en la causa de Atahualpa.

Las otras tradiciones que escribió Palma de tema indígena son *Los tesoros de Catalina Huarca* [5], *Orgullo de caciques* [6], *Los caciques suicidas* [7] y *La muerte de Manco Inca* [8]. Pero estas tradiciones indianistas no fueron ampliadas en novelas por otros autores en la época romántica.

La primera novela en que aparecen los indios como elemento central es *Aves sin nido,* de Clorinda Matto de Turner [9], publicada

1. Véase *Tradiciones peruanas,* edic. cit., II, 11-12.
2. *Ídem,* íd., 9-10.
3. *Ídem,* íd., I, 245-246.
4. *Ídem,* íd., II, 185-187.
5. *Ídem,* íd., II, 256-260.
6. *Ídem,* íd., III, 19-20.
7. *Ídem,* íd., 188-191.
8. RICARDO PALMA, *Apéndice a mis últimas tradiciones peruanas,* Barcelona, Maucci, 1910, págs. 33-35.
9. Clorinda Matto de Turner (1854-1900) se distinguió entre las mujeres hispanoamericanas que en el siglo pasado rindieron una labor literaria eficaz:

en Buenos Aires en 1889. El hecho tiene explicación en la historia social y literaria del Perú.

En el bello ensayo, *Perfil de lo romántico y técnica de la lejanía* [1], Luis Alberto Sánchez, profesor de literatura iberoamericana en la Universidad de San Marcos, hace el estudio más orientador que conocemos del romanticismo peruano. Completa ese ensayo con el artículo *Nuestro año terrible,* escrito, según nota del autor, para la "Revista Peruana", aunque no precisa número o fecha. Estudia aquí Sánchez los efectos de la guerra con Chile en 1879, cuando la literatura peruana toma nuevos rumbos y preocupaciones estéticas y sociales.

El matiz principal del romanticismo peruano que señala Sánchez es el españolismo, fomentado por la presencia en Lima de los escritores españoles José de Mora, Sebastián Lorente y Fernando Velarde. Zorrilla fué el modelo leído con más entusiasmo. "Con el romanticismo no se rompió ninguna tradición intelectual", afirma Sánchez; "nuestros románticos siguieron a los españoles, y sólo de tercera mano a los franceses".

Este españolismo, centralizado en Lima, alcanza sus momentos más intensos en los períodos de 1845 a 1851 y 1855 a 1869, en que privó la dictadura de Castilla; época de forzada paz, adulación y temor, de la cual trataron de huir los escritores refugiándose en esa lejanía de tiempo y espacio con que trataban de superar la mediocridad del instante.

Seguíase viviendo bajo el módulo virreinal, cuando no se buscaban temas exóticos en la historia europea. Este afán de lejanía tiene su expresión más justa en el libro de poemas de Carlos Augusto Salaverry, titulado *Cartas a un ángel* (1858).

La centralización limeña dió por resultado el desconocimiento del resto del país, y, desde luego, del indio. Los autores románticos que introdujeron al indio en sus obras, lo presentaron siempre como espectáculo, sin rozar siquiera sus problemas sociales. "Un indio en esas obras —dice Sánchez— era tan exótico como un

---

directora de «El recreo del Cuzco», en 1876; redactora más tarde de «La Bolsa de Arequipa». Dejó entre otras novelas *Índole,* Lima, Bacigalupi, 1891; *Herencia,* y una colección de *Tradiciones y leyendas cuzqueñas,* Cuzco, G. H. Rozas, 1917.

1. Hemos leído ese ensayo en copia que generosamente nos envió su autor; por una nota al margen parece que fué publicado en «El Mercurio Peruano», aunque no hay indicación de fecha.

turco de Estambul, como el pirata de Espronceda, como el Ben Humeya de la leyenda granadina, como el nibelungo Gunnar, que simbólicamente aparecía en una poesía de González Prada." Y termina: "El indio espectáculo proporcionó abundantes estrofas a los escritores. Quedó inédito, intacto, el indio problema."

Tal es el caso de Carlos Augusto Salaverry en su drama *Atahualpa* a que nos referimos anteriormente; lo mismo puede decirse de Ricardo Rossel (1841-1890), quien escribe los poemas *Hima Sumac* (1877) y *Catalina Tupac Roca* (1879). En francés componía por la misma década el peruano Nicolás de la Roca Vergallo sus dos libros *La mort d'Atahualpe* (Lima, 1870), y *Le livre des Incas* (Paris, 1879).

La derrota sufrida por el Perú en 1879 determinó, entre otros resultados, uno de gran interés para nuestro estudio: el planteamiento del problema indígena en la literatura, que derivó del nacimiento de la emoción social. Se plantea en páginas de *Los episodios nacionales* de Rivas y González, y en la defensa del indio de González Prada, que culmina en *Nuestros indios* (1904).

A esta literatura indianista de reivindicación social pertenece la novela *Aves sin nido*. Podemos decir, pues, que la novela indianista romántica con los matices que hemos estudiado, no existió en el Perú. La de reconstrucción histórica se logra en época muy posterior, y es fruto de largas investigaciones arqueológicas. Nos referimos a *Pueblo del sol*[1], bella evocación del incanato, por Augusto Aguirre Morales.

Hubo, no obstante, una defensa del indio peruano, del mitayo, en el drama en verso *Tupac-Amaru*[2], compuesto en 1821. Jorge Max Rhode en la noticia al frente de la edición que tenemos a la vista, atribuye el drama a Luis Ambrosio Morante, de origen peruano, actor y autor en el teatro rioplatense. Se basa Rhode en analogías que encuentra entre *El hijo del Sud*, obra de Morante, y *Tupac-Amaru*, aunque este drama supera al otro. Si Morante escribió *Tupac-Amaru*, encontramos ya un escritor de sangre peruana que, en 1821, vió al indio como problema, sintió la emoción social que refleja esta estrofa:

1. Editorial Garcilaso, Lima, 1924.
2. *Instituto de Literatura Argentina*, Buenos Aires, Coni, 1924.

> Vosotros, detractores de los indios;
> vosotros, que negáis alucinados
> su intelectualidad, por un momento
> fijad vuestra atención. Tupac-Amaru
> será para vosotros un espejo
> donde se mire el sudamericano [1].

Luego Venturas Santelices, hijo del Corregidor, añade:

> ¡Yo declamo;
> yo el grito elevo contra la tirana
> opresión de los indios! Un mitayo,
> ¿qué viene a ser en la extensiva fuerza
> esa palabra? ¡El abatido esclavo
> del despotismo, presa de ambicioso
> incremento del sordo peculado
> y del más despreciable latrocinio [2].

Tales arranques son frecuentes en el drama, que tiene como asunto las primeras victorias de Tupac-Amaru en 1780. A las acusaciones hechas por el autor suma únicamente la de Matto de Turner, la censura de los malos ministros católicos representados en el cura Pascual. El cura Pascual, el gobernador y el cobrador o cacique, constituyen en la novela "la trinidad aterradora que personificaba una sola injusticia": la opresión absoluta de los indios.

Es, pues, *Aves sin nido,* una novela indianista que pone el acento sobre el problema indígena en el Perú, y por eso marca la transición hacia la mayor parte de la novelística posterior a 1890 que ha tenido por asunto a los indios.

Mas, a pesar de esto, *Aves sin nido* sigue siendo romántica, aunque la autora, infantilmente, haga alardes naturalistas. Al describir a D. Sebastián dice: "El hombre no tiene átomo de nitroglicerina en la sangre: parece formado para la paz." El rojo de las mejillas de Marcela sobresale más "en los lugares donde el tejido capilar era abundante".

A pesar del lenguaje hablado por los indios, lleno de palabras

1. *Tupac-Amaru,* edic. cit., pág. 298.
2. *Ídem,* íd., pág. 311.

quechuas y del hecho real de la situación que describe, la exaltación romántica, hace a la novelista confesar en el proemio:

> Amo con amor de ternura a la raza indígena, por lo mismo que he observado de cerca sus costumbres encantadoras por su sencillez y la abyección a que someten a esa raza aquellos mandones de villorio, que, si varían de nombre, no degeneran siquiera del epíteto de tiranos.

Sentimentalismo romántico es lo tonal en el libro, en sus alusiones a la naturaleza, en su concepto del amor y en el dolor trágico con que hablan sus indios en ciertos momentos. El indio Juan Yupanqui dice a su esposa:

> Pobre flor del desierto, Marluca; tu corazón es como los frutos de la *penca:* se arranca uno, brota otro sin necesidad de cultivo. ¡Yo soy más viejo que tú, y yo he llorado sin esperanza! [1].

O cuando Isidro Champi, el campanero, al volver de la cárcel, donde lo llevó la injusticia de los blancos, dice a su mujer:

> ¡La tumba debe ser tranquila como la noche de luna en que se oye la quena del pastor! Nacimos indios, esclavos del gobernador, esclavos del cacique, esclavos de todos los que agarran la vara del mandón. ¡Indios, sí! ¡La muerte es nuestra dulce esperanza de libertad! [2].

Como en las novelas de los costumbristas españoles Pereda y Valera, a quienes, sin duda, tiene presentes al escribir Clorinda Matto, los elementos románticos se mezclan con los realistas. En la autora peruana prevalece lo romántico.

Aves sin nido describe la vida de los indios en el pueblo de Killac y sus alrededores. Expone sus miserias, introduciendo dos personajes generosos: D. Fernando Marín y su esposa Lucía, quienes al tratar de proteger a la india Marcela y a su familia tropiezan con la crueldad y usura del gobernador, la maldad del cura, las injusticias del cobrador.

---

1. *Aves sin nido,* Valencia, Sempere, s. a., pág. 47.
2. *Aves sin nido,* edic. cit., págs. 263-264.

El cura y el gobernador inducen al pueblo a asaltar la casa de los Marín, con el pretexto de que en ella se han refugiado ladrones. Mueren en el tumulto Marcela y su esposo. Don Fernando y Lucía adoptan a las dos niñas de Marcela. Una de ellas, Margarita, de catorce años, inspira y corresponde el amor de Manuel, hijo de D.ª Petronila, la esposa del gobernador. Al final descubrimos la imposibilidad de este amor, pues Marcela antes de morir reveló a Lucía que Margarita era hija del cura Claros. Manuel también lo era; D.ª Petronila había sido otra víctima de la sensualidad del clérigo. Manuel y Margarita son las "aves sin nido" del título.

Esta censura eclesiástica es uno de los propósitos de la obra, según lo expresan párrafos del proemio:

> ¿Quién sabe si después de doblar la última página de este libro se conocerá la importancia de observar atentamente el personal de las autoridades así eclesiásticas como civiles, que vayan a regir los destinos de los que viven en las apartadas poblaciones del interior del Perú? ¿Quién sabe si se reconocerá la necesidad del matrimonio de los curas como una exigencia social?

Aves sin nido tuvo tres ediciones: la primera, según Francisco Sosa [1], al finalizar el año 1889. La autora, en su libro *Viaje de Recreo* [2], dice:

> Voy a seguir viaje a Madrid por la ruta de Valencia, porque tengo el propósito de visitar a Francisco Sempere, el galante editor de *Aves sin nido,* cuya tercera edición él ha desparramado por el mundo latino.

La tercera edición es la de Sempere, sin fecha, publicada antes de 1908, en que la Matto de Turner visitó España. De la segunda edición no hemos encontrado otras noticias.

En el mismo libro, *Viaje de recreo,* habla la autora de la versión inglesa de *Aves sin nido,* hecha por Miss Hudson y publicada por Mr. Thynne en Londres, con el título de *Birds without nest* [3].

1. *Escritores y poetas sudamericanos,* México, Tip. de la Secretaría de Fomento, 1890, págs. 181-208.
2. Editorial Prometeo, Valencia, 1909, pág. 31.
3. Edic. cit., pág. 109.

Con los mismos elementos e idéntica intención que *Aves sin nido* ha compuesto el boliviano Alcides Arguedas (n. 1879) su hermosa *Raza de bronce* (1919). Como en las novelas poemáticas del romanticismo, el paisaje es aquí factor importante. Pero es un paisaje descrito con bello realismo, sin reflexiones filosóficas, sin asombros románticos. La emoción social, el anhelo de reivindicación indígena se expresa sin sentimentalismo; el alma india, doliente y supersticiosa, fué sorprendida por Arguedas con nitidez"[1].

Aves sin nido, pues, abre los caminos post-románticos de la novela indianista, que en cierto modo retornan a la visión filantrópica de Fray Bartolomé de las Casas.

1. Una segunda edición de *Raza de bronce* se hizo en Valencia, Sempere, 1923.

OBSERVACIONES FINALES

Al buscar en la literatura de la conquista y la colonia los orígenes de la novela indianista, señalamos como tales el indianismo filantrópico de Las Casas, la tradición de Ercilla con sus bélicas luchas y sus indias apasionadas; el sentimiento nostálgico y la idealización de la cultura incaica de Garcilaso; la aproximación a las narraciones novelescas en Núñez de Pineda.

Señalamos el precedente del *Ollantay* en su doble aspecto de evocación precolombiana y lírica, y finalmente, el drama de Labardén, como anticipo americano del tema que había de constituir a las novelas basadas en la leyenda de Lucía Miranda.

En el capítulo sobre influencias extranjeras vimos cómo la emoción de filantropía y la censura de la conquista retornan a nosotros a través de Voltaire y Marmontel; cómo Rousseau, Saint-Pierre y Chateaubriand estimulan especialmente la incorporación de la naturaleza americana en nuestra literatura, y cómo a través del vizconde poeta nos vuelve la tradición ercillana [1]. Vimos asimismo cómo el viaje de Humboldt y sus obras sobre América contribuyeron también al desarrollo del sentimiento del paisaje, y hasta qué punto Walter-Scott y Cooper se leyeron e imitaron entre nosotros.

Apuntamos el matiz capital de la literatura indianista de la Revolución; vimos, por último, muchos de estos matices y extranjeras influencias asomar en dramas y poesías anteriores a 1846.

1. José E. Rodó, en el ensayo *Juan María Gutiérrez y su época*, considera a Guacolda y Glaura «abuelas de Atala», y Alfonso Reyes, en su conferencia *El sentimiento del paisaje en la poesía mexicana del siglo XIX*, México, Imp. de la Vda. de F. Díaz de León, 1911, pág. 9, atribuye a la tradición ercillana influencia directa o indirecta en el autor de *Atala*.

En su aspecto histórico, la novela indianista va a las fuentes coloniales y a la historia posterior y trata de imitar con más o menos éxito a Scott y sus discípulos. La tradición incaica, que durante la época de la Revolución es la más evocada, pasa a segundo término en la novela romántica, que aprovecha las tradiciones mexicanas, principalmente la azteca y la maya.

La actitud ante España varía: el antiespañolismo se atenúa en la Avellaneda, para reaparecer con intensidad equivalente a la de la época revolucionaria, en la novela azteca de Eligio Ancona; se justifican las crueldades de la conquista en las novelas de Ireneo Paz, y en *Enriquillo* encontramos la apología de las nobles glorias hispanas.

El indianismo precolombiano tiene sólo dos manifestaciones, por ser la novela puramente arqueológica, casi irrealizable por los románticos hispanoamericanos, sin disciplinas adecuadas para la investigación.

Por las descripciones de las costumbres indígenas y del trasplante de las españolas, estas novelas preparan el advenimiento de las de costumbres americanas en la época modernista. En ellas encontramos, aunque sea imperfecto, el cuadro literario de aquel momento único, en que iberismo e indianismo comenzaron el lento y doloroso proceso de fusión.

El grupo de novelas poemáticas recoge especialmente las sugestiones de Chateaubriand, Saint-Pierre y Humboldt, en lo que se refiere a la Naturaleza. Es el paisaje la más feliz contribución de estas obras a la novelística posterior. Alfonso Reyes, en su ensayo sobre el *Paisaje en la poesía mexicana del siglo* XIX [1] habla del conflicto estético suscitado por la musa española, "la tradicional, la que alienta en el ritmo y las articulaciones mismas de un lenguaje cargado de historia y trabajado por tantas generaciones de hombres", y "la musa nueva, desamparada de sus hijos vencidos, todavía en el ánima del paisaje, la musa, que como en la selva de Alighieri, grita desde el corazón de los árboles y canta como los antiguos oráculos en el zumbar de las hojas remecidas".

Esta musa de América venció a la antigua musa, cuando nuestros románticos sustituyeron los convencionales paisajes importados, por el paisaje de América. Y este paisaje tuvo por primera

1. Edic. cit., págs. 6-9.

vez amplio lienzo en la novela indianista romántica. Con timidez al principio, con trazos más seguros después, la naturaleza americana se incorpora a la novela, y se logra al fin en José R. Yepes y en *Cumandá,* donde es tan importante como la heroína.

Las novelas de Yepes y Mera son el antecedente romántico de *La Vorágine,* de José E. Rivera, y *Doña Bárbara,* de Rómulo Gallegos, que logran la novela poemática con superaciones implícitas en la sensibilidad del novecientos.

Llena la novela indianista, además, una laguna aparente en la continuidad del género novelesco en nuestra literatura romántica.

Entre las afirmaciones erróneas de Max Daireaux en su estudio sobre literatura hispanoamericana [1] encontramos una más grave que las otras. Escribiendo sobre el entusiasmo con que nuestra América adoptó el romanticismo "como su lenguaje natural", dice a propósito de la novela:

> Et si cette influence est moins visible chez les romanciers, c'est que le roman n'est véritablement ne que plus tard, sous la influence de Zola et de Maupassant. Entre les récits romantiques, *María, Amalia,* écrits sous le signe magnifique de Chateaubriand, et les romans de l'école moderne il y a une coupure, un long silence. On n'écrit point de roman au XIXᵉ siècle.

La bibliografía de novelas indianistas que hemos recopilado es una prueba de que la producción novelesca no se interrumpió después de Mármol a Isaacs.

¿Qué significación tienen estas novelas con las otras manifestaciones indianistas del siglo XIX como fenómeno literario? Esta cuestión toca la vieja polémica a que aludimos en el capítulo sobre *Cumandá,* y ofrece tangencias sugestivas con nuestro arte contemporáneo.

Federico García Godoy, en su ensayo *La literatura dominicana* [2], dice comentando los poemas de José Joaquín Pérez:

> Hace tiempo que ha pasado de moda cultivar asuntos referentes al indigenismo americano. Las razas que poblaron este archipiélago duermen su eterno sueño bajo una capa cada vez más densa de olvido. Su alma, el alma indígena, parece no

1. *La Littérature hispano-américaine,* Paris, Kra, 1930, pág. 41.
2. «Revue Hispanique», Paris-New York, 1916, XXXVII, 91.

> tener nada de común con nosotros. *Tabaré,* la magnífica creación de Zorrilla de San Martín, se destaca en el horizonte, coronando, como estatua marmórea, el monumento funerario que guarda los más nobles recuerdos de las viejas razas indígenas.

Las palabras de García Godoy son aplicables a la interpretación romántica del indio y en un sentido general al archipiélago antillano, donde la pobreza de la civilización, extinta además prematuramente, hace difícil establecer nexos con ese pasado. Aun así, la tradición de Enriquillo, la historia de la conquista de aquellas islas, serán siempre recordatorio para sus habitantes cultos de hoy.

Pedro Henríquez Ureña, en su colección de ensayos *Horas de estudio* [1], se refiere dos veces al indianismo romántico: en una carta a García Godoy a propósito de su novela *Rufinito* y en una alusión a las *Fantasías indígenas,* de José Joaquín Pérez. Expone en la carta la razón que a su juicio ocasionó el fracaso del indigenismo de los años 70 a 80. Esta razón no fué, según él, la falta de técnica, sino el escaso interés que despertó el indianismo. Y añade:

> La tradición indígena, con ser local, autóctona, no es nuestra verdadera tradición; aquí en México, por ejemplo, el pasado precolombiano, no obstante su singular riqueza, sólo ha inspirado una obra literaria de verdadera importancia: la admirable *Rusticatio mexicana,* del P. Landívar, guatemalteco del siglo XVIII, y ésa está escrita en latín.

Y refiriéndose a las *Fantasías* concluye:

> La tradición indígena es un pasado muerto sin peso sensible ni significación importante en la vida de nuestras nacionalidades.

Cierto que la tradición indígena no es nuestra verdadera tradición; pero no podemos negar que en grado más o menos intenso esa tradición dejó su rastro en nuestro léxico. Si no tiene peso sensible en las Antillas no podemos asegurar lo propio en los países donde el indio es aún una realidad étnica, como en Bolivia, Perú,

1. Paris, Garnier, 1909, págs. 205-206; 222-223.

el Ecuador, y sobre todo en ese mismo México, citado por Henríquez Ureña. En México, es cierto, no se ha producido una obra literaria de asunto indio que pueda igualarse al poema de Landívar. Pero la tradición indígena sigue viviendo en las diferentes regiones de la República y se prolonga en la metrópoli, donde gran número de calzadas conservan los nombres aztecas; donde los tranvías van indicando sus rumbos con palabras como *Mixcoac, Tlalpan, Popotla, Ixtapalapa, Xochimilco.* No podemos llamar muerta a la tradición indígena en México cuando tropezamos a cada paso en sus calles con indios genuinos, envueltos en sus brillantes sarapes, o madres indias que aún cargan a sus hijos recién nacidos a la manera ancestral. Más aún cuando las innumerables ruinas arquitectónicas de la antigua cultura son una llamada tenaz a la investigación arqueológica. Por último, cuando los frescos de un gran pintor, Diego Rivera, evocan el pasado prehispánico, la conquista y la actualidad de los indios. Y en esos frescos admirables, donde vemos resucitar caballeros águilas y caballeros tigres; donde la representación en piedra del dios de las flores, Xochipilli, se trasplanta a la pintura con restaurada policromía, y el dios Quetzalcoatl pasa en su barca serpentina; si nos atrae el exotismo precortesiano nos emociona la conquista en todas sus etapas y el sentimiento de reivindicación social que anima las evocaciones de la revolución mexicana de 1910.

El mismo Henríquez Ureña en un libro reciente [1] vuelve a ocuparse del problema en una forma que es a manera de rectificación de sus afirmaciones de 1909. Estudia la fórmula del americanismo y acepta como una de las más persistentes *ir hacia el indio.* Ve ahora cómo este programa "nace y renace en cada generación bajo muchedumbre de formas y en todas las artes". Menciona los dos tipos incorporados a la literatura por conquistadores y misioneros: "el indio hábil y discreto" y "el salvaje virtuoso", para concluir que la literatura indianista posterior, caprichosa e irregular, ha contribuído poco a esa fuerte visión. Cree posible, no obstante, la interpretación literaria de aquellos magníficos imperios mediante previos estudios arqueológicos. ¿No podemos esperar que

1. *Seis ensayos en busca de nuestra expresión,* Buenos Aires-Madrid, Babel, s. a., págs. 24-25.

en uno de los renacimientos futuros del programa indianista surjan poetas arqueólogos que realicen esa interpretación?

Luis Alberto Sánchez, en su *Literatura peruana*[1] y en una carta que nos dirigiera en febrero de 1931, ha subrayado la absurdidad y artificio que caracterizan a las producciones del indianismo romántico en el Perú. En la carta extiende este criterio a toda Hispanoamérica, cuando escribe:

> Piense que los románticos explotaron lo indígena sólo con criterio decorativo. No buscaron el fondo del alma india, se contentaron con los abalorios, con el paramento. Es, en realidad, una explotación de los indios en forma literaria; pero no explotación en sentido artístico, sino económico, porque los utilizaron como segunda parte, como bastidores, escenario, decorado, etc.

Nuestro brillante amigo acierta en su observación de que los escritores románticos no buscaron o, mejor, no vieron el alma india. Pero ¿qué romántico vió más alma que la suya en los hombres y en la naturaleza? No podemos exigir interpretación de almas al egocentrismo de la sensibilidad romántica.

En cuanto al criterio decorativo y "explotación económica" con que los románticos trataron lo indígena, si es evidente en la mayoría de las obras indianistas, no es exacto en las más nobles de ellas; *Enriquillo*, *Tabaré* son fruto de una noble evocación sentimental; *Cumandá* es un triunfo de lo pintoresco en el sentido artístico.

El peruano José Carlos Mariátegui considera también el exotismo indígena en la literatura cuando no es más que eso, como una explotación[2]. Para él, el indigenismo moderno debe ser "una obra política y económica de reivindicación, no de restauración ni resurrección".

Si el indio ocupa el primer término en la literatura y el arte peruanos del porvenir, será, según Mariátegui, no por su interés literario o plástico, sino porque las fuerzas nuevas y el impulso

---

1. Lima, Talleres Gráficos Perú, 1928, I, 154-156.
2. *Siete ensayos de interpretación de la realidad peruana*, Lima, Biblioteca Amauta, 1928, págs. 250-252.

vital de la nación, tienden a reivindicarlo. Y apunta que esta corriente no es naturista ni costumbrista, sino lírica.

La preocupación social absoluta de Mariátegui cierra a su indigenismo toda perspectiva que no sea "lo que nos ha quedado del indio", que en el Perú es "la protesta de millones de hombres". La visión de Mariátegui arraiga en el problema social del Perú, mas sabemos que el arte, en la órbita de lo indígena, puede dar aún raros frutos de belleza.

Mariátegui, no obstante, añade unas palabras que explican los extravíos o por lo menos los errores de la interpretación romántica del indio y de toda otra interpretación futura:

> La mayor injusticia en que podría incurrir un crítico sería cualquier apresurada condena de la literatura indigenista por su falta de autoctonismo integral, o la presencia más o menos acusada en sus obras de elementos de artificio en la interpretación y la expresión.
>
> La literatura indigenista no puede darnos una versión rigurosamente verista del indio. Tiene que idealizarlo y estilizarlo. Tampoco puede darnos su propia ánima. Es todavía una literatura de mestizos. Por eso se llama indigenista y no indígena. Una literatura indígena, si debe venir, vendrá a su tiempo. Cuando los propios indios estén en grado de producirla.

La visión más integral y justa de la cultura hispanoamericana y su porvenir, es, a nuestro juicio, la expuesta por Ricardo Rojas en su libro *Eurindia*[1].

Eurindia es la ideal fusión de todo lo exótico y todo lo americano que ha contribuído y sigue contribuyendo al conjunto de nuestra cultura. Por indianismo no significa Rojas solamente lo indígena, sino todos los factores elaborados en América, incluyendo lo indígena. Desde luego la palabra *Eurindia,* encierra ese equívoco que precisa ver claro antes de comprender la doctrina de Rojas. Pero una vez vencida esa dificultad, vemos que la concepción del ensayista argentino, conciliadora y justa, satisface a los más exigentes. Nada se pierde en el crisol de *Eurindia,* y la prehistoria sigue viviendo en la intrahistoria como una fuerza subterránea de que parten las más ocultas raíces de nuestra cultura.

1. *Eurindia. Ensayo de estética fundado en la experiencia histórica de las culturas americanas,* Buenos Aires, Roldán, 1924.

> Eurindia, define Rojas, es doctrina de amor que aconseja ayuntar en cópula fecunda lo europeo y lo indiano. La experiencia histórica nos ha probado que, separadamente, ambas tradiciones se esterilizan. El exotismo pedante sólo nos ha dado remedios estériles, progresos aparentes, vanidad de nuevos ricos y de trasplantados. El indianismo sentimental sólo nos ha dado rusticidad violenta, fantasmas anacrónicos, pobrezas de viejos indios y de gauchos. Queremos reducir ambas fuerzas en la unidad de un nuevo ser y superarlas [1].

En el largo proceso de fusión, indianismo y europeísmo alternativamente vencedores, han dominado a su vez en la política y en las artes. Ninguna tradición se interrumpe en realidad. Atahualpa resucita en Tupac-Amaru al finalizar el siglo XVIII, y en el proyecto de restitución incáica de Belgrano. El gaucho desaparecido resucita en el poema *Martín Fierro;* de igual modo la tradición española se interrumpió en la historia externa "pero continuó corriendo por los escondidos cauces de la intrahistoria social".

El indianismo romántico ha sido calificado justamente por Rojas de imprecisión por falta de color arqueológico. En su forma romántica la escuela terminó con el poema de Zorrilla de San Martín. Pero este indianismo que Rojas incluye entre los casticismos ingenuos, representa el momento literario en que lo americano intentó expresarse en el siglo XIX, y la novela indianista, una de las formas con que ese momento ilustra las peripecias de *Eurindia* en su gesta inacabada.

1. *Eurindia,* edic. cit., pág. 204.

CRONOLOGÍA DE LA NOVELA INDIANISTA

(1832-1889)

1. 1832.—*Netzula,* por José María Lafragua, México, 1832; *Biblioteca de autores mexicanos,* México, Imp. de V. Agüeros, 1901, XXXIII, 265-306.
2. 1837.—*Matanzas y Yumurí,* por Ramón de Palma y Romay; *Aguinaldo habanero,* La Habana, 1837, 113 págs.; *Cuentos cubanos,* Cultural, S. A., La Habana, 1928.
3. 1839.—*Gonzalo Pizarro,* por Manuel Asensio Segura, Lima, 1839.
4. 1846.—*Guatimozín, último emperador de México.* Novela histórica por la señorita Gómez de Avellaneda, Madrid, Imp. de D. A. Espinosa, 1846, I, 170 págs.; II, 148 págs.; III, 145 págs.; IV, 147 págs.
5. 1852.—*La palma del cacique,* por Alejandro Tapia y Rivera, Madrid, 1852; incluída en *El bardo de Guamaní,* La Habana, Imp. del Tiempo, 1862, págs. 170-203.
6. 1860.—*Anaida,* por José Ramón Yepes, Maracaibo, 1860; *La Revista: álbum de familia,* Caracas, 1872, I; *Novelas y estudios literarios,* de José R. Yepes, Maracaibo, Imp. Americana, 1882, págs. 11-79.
7. 1860.—*Lucía de Miranda,* por Rosa Guerra, Buenos Aires, Imp. Americana, 1860, 92 págs.
8. 186?.—*Lucía Miranda,* por Eduarda Mansilla de García, Buenos Aires, 186?, Buenos Aires, Imp. de J. A. Alsina, 1882, 386 págs.
9. 1861.—*La guerra civil entre los incas.* por Manuel Luciano Acosta, Montevideo, 1861.

10. 1862.—*Historia de Welinna,* por Crescencio Carrillo y Ancona, Mérida, Yucután, Imp. de J. Espinosa, 1862, 39 págs. Imp. de la "Revista de Mérida", 1882; Mérida, Ariel, 1919.
11. 1866.—*La cruz y la espada,* por Eligio Ancona, París, Librería de Rosa Bouret, 1866, I, 296 págs.; II, 312 págs.
12. 1870.—*Los mártires del Anáhuac,* por Eligio Ancona, México, Imp. de José Bastiza, 1870, I, 324 págs.; II, 320 págs.
13. 1871.—*Cumandá o un drama entre salvajes,* por Juan León Mera, Quito, 1871; Quito, Guzmán Almeida, 1879, 233 págs.; Madrid, F. Fe, 1891.
14. 1871.—*El cacique de Turmequé,* por Gertrudis Gómez de Avellaneda. *Obras literarias,* Madrid, Rivadeneyra, 1869-1871, V, 227-281.
15. 1872.—*Iguaraya,* por José R. Yepes. *La Revista: álbum de familia,* Caracas, 1872, I; *Novelas y estudios literarios,* de José R. Yepes, Maracaibo, Imp. Americana, 1882, págs. 85-150.
16. 1873.—*Amor y suplicio,* novela histórica por Ireneo Paz, México, Tip. J. Rivera, hijo, 1873, I, 236 págs.; II, 389 págs.; México, La Voz de México, 1878, 127 págs.
17. 1875.—*Nezahualpilli o el catolicismo en México,* por Juan Luis Tercero, México, Imp. de J. R. Barbedillo, 1875, 610 páginas.
18. 1878.—*Azcaxóchitl o la flecha de oro,* leyenda histórica azteca por J. R. Hernández, México, Barbedillo. 1878, 125 páginas.
19. 1879.—*Enriquillo,* por Manuel de Jesús Galván, primera parte, Santo Domingo, Imp. del Colegio de San Luis Gonzaga, 1879.
20. 1882.—*Enriquillo,* leyenda histórica dominicana (1503-1533), por Manuel de Jesús Galván. Primera y segunda parte, Santo Domingo, Imp. de García Hermanos, 1882, 336 págs., Barcelona, Vda. de J. Cunill, ilustraciones de Cuchy, 1909.
21. 1883.—*Doña Marina,* por Ireneo Paz, novela histórica continuación de la novela del mismo autor, que tiene por título *Amor y suplicio,* México, Imp. de Ireneo Paz, 1883, I, 391 págs.; II, 509 págs.

22. 1884.—*La hija de Tutul-Xiu,* novela yucateca, por Eulogio Palma y Palma, Mérida, Imp. de la "Revista de Mérida", 1884, 462 págs.
23. 1888.—*Huincahual,* por Alberto del Solar, Paris, Pedro Roselli, 1888. Obras completas de Alberto del Solar, Paris, Garnier, 1911, VI.
24. 1889.—*Aves sin nido. Novela peruana,* Buenos Aires, 1889; Valencia, Sempere, s. a., 281 págs.

BIBLIOGRAFIA[1]

1. Alarcón, Abel.—*La literatura boliviana* (1545-1916), en "Revue Hispanique", New York-Paris, 1917, XLI, 563-633.

2. Amunátegui, Miguel Luis y Gregorio.—*Juicios críticos de algunos poetas hispanoamericanos,* Santiago de Chile, Imp. del Ferrocarril, 1861, págs. 96-109.

3. Ayala, D. C.—*Resumen histórico-crítico de la literatura hispanoamericana,* Caracas, Parra León, 1927.

4. Babbit Irving.—*Rousseau and romanticism,* Boston-New York, Houghton Hiffling Co., 1919.

5. Beers Henry, A.—*A history of English romanticism,* New York, Henry Holt and Co., 1901, *Sir Walter Scott,* Chap. I.

6. Barbagelata Hugo, D.—*Una centuria literaria. Poetas y prosistas uruguayos* (1800-1900), Paris, Biblioteca Latinoamericana, 1915.

7. Barragán, J. V.—*La América española y su literatura,* "Bulletin of Spanish Studies", Liverpool, 1927, IV, 68-79.

8. Barrera Isaacs, J.—*Literatura ecuatoriana.* Contribución al libro del centenario *El mundo boliviano,* Quito, Imp. de la Universidad Central, 1924.

9. Brownell, W. C.—*American prose masters. James Fenimore Cooper,* New York, Schribner's Son, 1923, págs. 1-50.

10. Calcaño, Julio.—*Don José Ramón Yepes. Parnaso venezolano.* Curazao, Imp. de A. Bethencourt e Hijos, 1889, VII, págs. 3-42.

11. Castillo Ledón, Luis.—*Orígenes de la novela en México,* México, Imp. del Museo Nacional, 1922.

1. Incluímos en esta Bibliografía solamente los estudios críticos, biográficos y bibliográficos relacionados con nuestro trabajo. Las obras de otro carácter aparecen anotadas en el lugar donde se citan.

12. Cestero, Manuel F.—*Ensayos críticos: Enriquillo,* Cuba Contemporánea, La Habana, 1917, XIII, 316-337.

13. Coester, Alfred.—*The literary history of Spanish America,* New York, MacMillan, 1921.

14. Correa, Luis.—*Terra patrum. Páginas de crítica y de historia literaria. José R. Yepes,* Caracas, 1930.

15. Cotarelo y Mori, Emilio.—*La Avellaneda y sus obras.* Ensayo biográfico y crítico, Madrid, Tip. de Archivos, 1930.

16. Chinard, Gilbert.—*L'exotisme americain dans l'ouvre de Chateaubriand,* Paris, Hachette, 1918.

17. Chinard, Gilbert.—*L'Amérique et le rêve exotique dans la littérature française au XVII*e *et au XVIII*e *siècle,* Paris, Hachette, 1913.

18. Churchman, Ph. H., and E. Allison Peers.—*A survey of the influence of Sir Walter Scott in Spain,* New York-Paris. Tirada aparte de la "Revue Hispanique", 1922.

19. Daireaux, Max.—*La littérature hispano-américaine,* Paris, Kra, 1930.

20. Darío, Rubén.—*Alberto del Solar. Cabezas,* Madrid, Ed. Mundo Latino, s. a., págs. 81-85.

21. Estrada, Dardo.—*Historia y bibliografía de la imprenta en Montevideo,* 1810-1865, Montevideo, 1812.

22. Figueroa, Pedro Pablo.—*Reseña histórica de la literatura chilena* (1540-1900). Tercera edic., Santiago de Chile, Imp. Barcelona, 1900.

23. Fitzmaurice Kelly, Julia.—*El inca Garcilaso de la Vega,* New York, The Hispanic Society of America, 1921.

24. Ferguson, John de Lancey.—*American literature in Spain. James Fenimore Cooper,* New York, Columbia University Press, 1916, págs. 32-54.

25. Gamboa, Federico.—*La novela mexicana,* México, Eusebio Gómez de la Fuente, 1914.

26. García Calderón, Ventura, y Hugo D. Barbagelata.—*La literatura uruguaya* (1757-1917), en "Revue Hispanique", New York-Paris, 1917, XL, 415-542.

27. García Godoy, Federico.—*La literatura dominicana.* en "Revue Hispanique", Paris-New York, 1916, XXXVII, 63-104.

28. García Velloso, Enrique.—*Historia de la literatura argentina,* Buenos Aires, 1914.

29. Ghiraldo, Alberto.—*Del sentimiento heroico en la poesía americana. Antología americana,* Madrid, Renacimiento, 1923, III, 5-57.

30. Ghiraldo, Alberto.—*El romanticismo en América. Antología americana.*—Madrid, Renacimiento, 1923, IV, 5-12.

31. Gómez Restrepo, Antonio.—*La literatura colombiana,* en "Revue Hispanique", New York-Paris, 1918, XLIII, 79-204.

32. González Peña, Carlos.—*Historia de la literatura mexicana desde los orígenes hasta nuestros días,* México, Cultura, 1928.

33. González Obregón, Luis.—*Breve noticia de los novelistas mexicanos en el siglo* xix.—México, Tip. de O. R. Spíndola, 1889.

34. Grossman, R.—*Algunos aspectos de la literatura hispanoamericana.* "Boletín de la Biblioteca Menéndez Pelayo", Santander, 1925, VII, 396-408.

35. Gutiérrez, Juan María.—*Noticias biográficas sobre D. Esteban Echeverría.* Al final de *Dogma socialista,* Buenos Aires, Cultura Argentina, 1928, págs. 7-83.

36. Henríquez Ureña, Pedro.—*Horas de estudio,* Paris, Garnier, 1909.

37. Henríquez Ureña, Pedro.—*Literatura dominicana.* Tirada aparte de la "Revue Hispanique", Paris, 1917.

38. Henríquez Ureña, Pedro.—*Apuntaciones sobre la novela en América,* Buenos Aires, Coni, 1927.

39. Henríquez Ureña, Pedro.—*Seis ensayos en busca de nuestra expresión,* Buenos Aires, Madrid, Babel, s. a.

40. Iguíniz, Juan B.—*Bibliografía de novelistas mexicanos. Ensayo biográfico, bibliográfico y crítico. Precedido de un estudio histórico de la novela mexicana por Francisco Monterde,* México, Imp. de la Secretaría de Relaciones Exteriores, 1926, XXXV.

41. Jiménez Rueda, Julio.—*Historia de la literatura mexicana,* México, Cultura, 1928.

42. Le Bretón, André.—*Le roman française au dix neuvième siècle,* Paris, Boivin et Cie., s. a.

43. Leguizamón, Martiniano.—*La leyenda de Lucía de Miran-*

da. "Revista de la Universidad Nacional de Córdoba", Argentina, 1919, VI, 3-11.

44. LOUNSBURY, THOMAS R.—James Fenimore Cooper, Boston, 1883.

45. LUGO, AMÉRICO.—*Bibliografía,* Santo Domingo, La Cuna de América, 1906.

46. MARIÁTEGUI, JOSÉ CARLOS.—*Siete ensayos de interpretación de la realidad peruana,* Lima, Biblioteca Amauta, 1928.

47. MEDINA, JOSÉ TORIBIO.—*Historia de la literatura colonial de Chile,* Santiago de Chile, Imp. de la Librería del Mercurio, 1878, 3 vols.

48. MEDINA, JOSÉ TORIBIO.—*Las mujeres de "La Araucana", de Ercilla,* en "Hispania", California, 1928, XI, 1-12.

49. MARTÍ, JOSÉ.—*Enriquillo. Una carta de Martí. Obras completas,* Gonzalo de Quesada, Habana, 1914, XIII, 315-316.

50. MÉNDEZ BEJARANO, MARIO.—*Tassara. Nueva biografía crítica,* Imp. de J. Pérez Pasaje, Madrid, 1928.

51. MENÉNDEZ PELAYO, MARCELINO.—*Historia de la poesía hispanoamericana,* Madrid, V. Suárez, 1911, 2 vols.

52. MERA, JUAN LEÓN.—*Ojeada histórico crítica de la poesía ecuatoriana,* Barcelona, Cunill Sala, 1893.

53. MORRIS, D. G.—*Fenimore Cooper d'après la critique française du XIXe siècle,* Paris, 1912, págs. 7-65.

54. MITJANS, AURELIO.—*Historia de la literatura cubana,* Madrid, Biblioteca Andrés Bello, 1918.

55. MOSES, BERNARD.—*Spanish colonial literature in South America,* London-New York, The Hispanic Society of America, 1922.

56. NÚÑEZ DE ARENAS, M.—*Notas acerca de Chateaubriand en España,* en "Revista de Filología Española", Madrid, 1925, XII, 290-296.

57. OLAVARRÍA Y FERRARI, ENRIQUE.—*El arte literario en México. Noticias biográficas y críticas de sus más notables escritores,* Madrid, Espinosa y Bautista, 1879.

58. OSPINA, EDUARDO, S. J.—*El romanticismo. Estudio de sus caracteres esenciales en la poesía europea y la colombiana,* Madrid, Ed. Voluntad, 1927.

59. Ortega y Ricaurte, José Vicente.—*Historia crítica del teatro en Bogotá,* Bogotá, Ediciones Colombia, 1927.

60. Allison Peers, E.—*Influencia de Chateaubriand en España,* en "Revista de Filología Española", Madrid, 1924, XI, 351-372.

61. Picón Febres, Gonzalo.—*La literatura venezolana en el siglo* XIX, Caracas, Empresa El Cojo Ilustrado, 1906.

62. Reyes, Alfonso.—*El paisaje en la poesía mexicana del siglo* XIX, México, Tip. de la Vda. de F. Díaz de León, 1911.

63. Rhode, Jorge Max.—*Estudios literarios,* Buenos Aires, Coni, 1920.

64. Rodó, José Enrique.—*Juan María Gutiérrez y su época. En el mirador de Próspero,* Madrid, Renacimiento, 1920, págs. 115-227.

65. Rubió y Lluch, Antonio.—*Necrología de Juan León Mera. Estudios hispanoamericanos,* Bilbao, 1923, págs. 315-322.

66. Rojas, Ricardo.—*La literatura argentina,* Buenos Aires, Coni, 1920, 4 vols.

67. Rojas, Ricardo.—*Eurindia. Ensayo de estética fundado en la experiencia histórica de las culturas americanas,* Buenos Aires, Roldán, 1924.

68. Roxlo, Carlos.—*Historia crítica de la literatura uruguaya,* Montevideo, A. Barreiro y Ramos, 1912-1916, 7 vols.

69. Sánchez, Luis Alberto.—*La literatura peruana,* Lima, Talleres Gráficos Perú, 1928, I; La Opinión Nacional, 1929, II.

70. Sarrailh, Jean.—*La fortune d'Atala en Espagne* (1801-1833), en *Homenaje a Menéndez Pidal,* Madrid, 1925, I, 255-268.

71. Silva Arraigada, Luis Ignacio.—*La novela en Chile,* Santiago de Chile, Imp. Barcelona, 1910.

72. Solar Amunátegui, Domingo.—*Bosquejo histórico de la literatura chilena. Periódico colonial,* Santiago de Chile, Imp. Universitaria, 1918.

73. Sosa, Francisco.—*Clorinda Matto de Turner. Escritores y poetas sudamericanos,* México, Tip. de la Secretaría de Fomento, 1890, págs. 181-208.

74. Tejera, Felipe.—*Perfiles venezolanos. José Ramón Yepes,* Caracas, 1881, págs. 473-474.

75. Torres Caicedo, J. M.—*Ensayo biográfico y de crítica litera-*

ria, Paris, Guillaumin, 1863; segunda serie, Paris, Dramard, Baudry, 1868.

76. URBINA, LUIS G.—*La vida literaria en México,* Madrid, Imp. de los Hermanos Sáez, 1917.

77. VACA DE GUZMÁN, SANTIAGO.—*Literatura boliviana,* Buenos Aires, 1888.

78. VASCONES, FRANCISCO.—*Historia de la literatura ecuatoriana,* Quito, 1919.

79. VALERA, JUAN.—*La poesía y la novela en el Ecuador. Obras completas. Cartas americanas,* Madrid, XLII (1889-1890), 167-221, s. a.

80. WAGNER MAX, LEOPOLD.—*Die Spanisch amerikanische Literatur,* Leipzig-Berlin, B. B. Teubner, 1924.

ÍNDICE

Í N D I C E

Í N D I C E

Capítulos | Páginas

Se terminó de imprimir este libro el día 5 de junio de 1961, en los talleres Industrias Gráficas «Diario - Día», en Palencia de Castilla. La edición fué de 2.000 ejemplares y se ha realizado bajo los cuidados y dirección de «Ediciones Juan Ponce de León»